中公新書　1914

JN263938

大泉啓一郎著

老いてゆくアジア

繁栄の構図が変わるとき

中央公論新社刊

はじめに

少子高齢化の波

アジアは急速に老いている。少子高齢化は、もはや日本に特有の問題ではない。たしかに日本のそれは厳しく、人類史上、はじめてともいえる人口問題に直面している。

日本の総人口は、二〇〇五年十月一日時点で一億二七七六万八〇〇〇人と、前年を約二万人下回った。一国の人口が減少すること自体は、歴史上まれなことではない。天候不順による飢饉《ききん》やペストのような疾病《しっぺい》の流行、戦争による被害などで、世界は幾度となく人口減少を経験してきた。しかし、それらはいずれも一時的なものであった。現在、日本が直面している人口減少は、出生率が長い間低水準にとどまったことに原因し、今後出生率が回復してもなお回避することができない社会問題である。いまや「人口減少社会」は、日本社会の行方を考えるキーワードになっている。

一方、六十五歳以上の高齢人口は二五七六万人と、総人口に占める割合（高齢化率）は二

表0-1　アジアの実質GDP成長率

（単位：%）

	1980-90	1990-2000	2000-2005
日本	4.1	1.3	1.3
NIES			
韓国	8.9	5.7	4.5
台湾	7.9	6.3	3.4
香港	6.9	4.1	4.3
シンガポール	6.7	7.7	3.9
中国	10.1	10.6	9.5
ASEAN4			
タイ	7.6	4.2	5.0
マレーシア	5.3	7.0	4.5
インドネシア	6.1	4.2	4.7
フィリピン	1.0	3.4	4.7
ベトナム	−	7.6	7.5
インド	5.8	6.0	6.8
世界平均	3.3	2.9	2.8

（出所）*World Development Indicators, Taiwan Statistical Data Book*

○%を超えた。これにより日本は、イタリアを抜いて世界一の高齢国となった。高齢化率は今後も上昇する見込みであり、二〇〇六年の国立社会保障・人口問題研究所の推計によれば、二〇二〇年に二九・二%、二〇五〇年には三九・六%に上昇する。

つまり、日本は人口の減少により経済規模が縮小するなかで、高齢化が社会保障費をさらに増大させるという、やっかいな状況に突入していく。

他方、アジア経済はいたって好調である。「二一世紀はアジアの時代」といわれてきたが、それがますます現実味を帯びてきた。

表0-1は、近年のアジアの経済成長率を示したものであるが、一九八〇～二〇〇五年の間、日本を除くアジア諸国の経済成長率が世界平均を大幅に上回っていたことがわかる。とくに中国の成長は群を抜いている。

このような高成長の結果、日本を含むアジア経済の世界に占めるシェアは、一九九〇年の一九％から二〇〇〇年には二三％へと上昇した。『通商白書 二〇〇六』は、二〇一五年にはさらに二九％へ上昇すると予測している。アジア経済は、一九九〇年代後半に通貨危機・経済危機により未曾有《みぞう》の経済後退を余儀なくされたが、それを乗り越えて再び新しい成長路線を邁進《まいしん》しているといえよう。

このような状況のなかで、日本ではアジア地域との連携を深めることで、自らの持続的な発展を実現しようとする動きが活発化してきている。

たとえば、経済産業省は『通商白書 二〇〇五』のなかで次のように提言している。

少子高齢化・人口減少で高い経済成長を見込むことが困難な我が国においては、今後も高い成長が見込まれる東アジア経済との相互依存性をより一層増していくことが必要になる。

こうした状況にかんがみ、我が国経済の成長戦略としては、既に述べてきたように経済的な相互依存関係を深化させつつある東アジア経済の活力を積極的に取り込むことを追求すべきであろう。（二七九ページ）

実際に、一九八五年のプラザ合意以降、日本企業のアジア進出はめざましく、それを可能にするようなモノ、マネー、情報のネットワークがアジア全域に築かれつつある。また、日本は、モノ・サービスの自由貿易協定（FTA：Free Trade Agreement）だけでなく、人・マネーの移動の促進、知的財産権の保護、投資ルールの整備、技術開発支援・協力などを盛り込んだ包括的な「経済連携協定（EPA：Economic Partnership Agreement）」をアジア各国と締結しようとしている。二〇〇七年六月現在、シンガポール、マレーシア、タイ、フィリピン、メキシコ、チリの六カ国の間で締結した。さらにアジア地域をEU（欧州連合）やNAFTA（北米自由貿易協定）に対抗する「東アジア共同体」へと発展させていこうとする構想も持ち上がっている。

ただし、右のような戦略は、アジアが今後も成長センターとして期待できるとの前提に立っている。そこには日本では高齢・人口減少社会が進み、経済は低成長時代に入っているものの、その他のアジアの国々では人口構成が若く、経済は高成長期にあるという暗黙の了解がある。しかし、アジア全体で少子高齢化が進んでいるとしたらどうであろうか。

実際、少子高齢化はアジア全域で進行している。表0-2は二〇〇五年のアジア地域の合計特殊出生率（一人の女性が生涯において出産する子供の平均数）と高齢化率をみたものであるが、NIES（韓国、台湾、香港、シンガポール）は日本よりも低い水準にあり、中国やタイもすでに二を下回っている。他方、高齢化率をみると、NIESと中国、タイが七%を超え、すでに「高齢化社会（Ageing Society）」にある。さらに近年の出生率の急速な低下は、今後高齢化を加速させる要因になる。国連の人口推計によれば、二〇二五年にはNIESは高齢化率が一四%を超える「高齢社会（Aged Society）」に突入し、アジアではフィリピンを除くすべての地域が高齢化社会へ移行する。もはや少子高齢化は日本に特有の問題ではない。

表0-2　アジアの合計特殊出生率と高齢化率

	合計特殊出生率		高齢化率 (%)	
	1990	2005	2005	2025
日本	1.5	1.3	19.7	29.1
NIES				
韓国	1.6	1.1	9.4	19.6
台湾	1.7	1.1	9.6	19.6
香港	1.3	1.0	12.0	21.5
シンガポール	1.9	1.2	8.5	22.3
中国	2.1	1.8	7.6	13.7
ASEAN4				
タイ	2.2	1.9	7.1	13.3
マレーシア	3.8	2.7	4.6	8.9
インドネシア	3.1	2.3	5.5	8.6
フィリピン	4.3	3.2	3.9	6.8
ベトナム	3.6	1.8	5.4	8.4
インド	3.8	2.8	5.3	8.1
世界平均	3.1	2.6	7.4	10.5

(出所) 出生率は *World Development Indicators*、高齢化率は国連人口推計より作成。台湾データは *Taiwan Statistical Data Book*

このようななかで、アジア経済の活力が、今後も持続されるのか、アジアが一〇年、二〇年後にどのような課題を持つのかを考察しようというのが本書全体の狙《ねら》いである。

本書は以下の五つの章から構成した。

第1章では、先に述べたアジア地域における少子高齢化の実態を詳細に確認する。世界全体で人口増加率が低下しているが、その傾向はアジア地域で著しい。アジアで出生率が急速に低下した背景には、所得水準の上昇に加え、ライフスタイルが急速に変化していることがある。出生率の低下は今後も続くものと予想され、各国のベビーブーム世代が高齢化するにともない、アジアは「高齢人口の爆発」という時代に突入することを指摘する。たしかに、高齢化が進んでいるとはいえ、現在のアジアの状況からその影響を見出すことは容易ではない。たとえば、中国は過去二〇年の間毎年二桁《けた》近い成長率を持続し、アジア地域の成長の牽引《けんいん》役としての地位を固めつつあるようにみえる。

この点について第2章では、「人口ボーナス」という考え方を用いてアジアの高成長を振り返る。「人口ボーナス」とは、出生率の低下にともなう生産年齢人口(十五〜六十四歳)の人口比率の上昇が、労働投入量の増加と国内貯蓄率の上昇をもたらし、経済成長を促進するという考え方である。つまり、出生率の低下がアジアの高成長に寄与した効果を検討することによって、後の高齢化の影響を考える視点を提示した。もちろん、その効果は各国の政策により異なる。そこで日本、韓国と台湾、中国とタイの三つのケースに区分してみる。

この人口ボーナスの効果は高齢化とともに薄れ、NIESや中国、タイでは二〇一〇〜一五年頃からは高齢化の影響を受けることになる。

第3章では、人口ボーナスの後にアジア経済は、どのような課題を持つのかに注目する。

高齢化にともない労働投入量や国内貯蓄が減少するため、生産性の向上が成長を持続する鍵《かぎ》となることを示す。また、中国やASEAN（東南アジア諸国連合）諸国では、農村に住む過剰労働力を効果的に活用することで都市部で人口ボーナスの効果を享受できる反面、農村にとどまるベビーブーム世代の生産性を高めるような措置を現時点から実施しておかないと、近い将来、高齢化の影響が農村で深刻化することを指摘する。

第4章では、高齢社会を支える社会保障制度構築の課題に目を向ける。現在、アジア全域で社会保障制度構築に向けた機運が高まっている。しかし、所得水準の低い中国やASEAN諸国では、財源や人材の不足、制度の未整備が原因となって、日本のような年金、医療保険、介護保険など社会保障制度を構築することは容易ではない。このことを、タイを事例に国民皆年金制度の構築がいかに困難かをみる。これらの国で高齢化への対処が遅れれば、農村に住む高齢者の生命が危険にさらされるという「人間の安全保障」にかかわる問題が発生する可能性がある。アジアの高齢者を誰が養うのかという問題は、単に経済成長維持だけでなく、アジア全域で豊かな社会を構築するために現在から取り組むべき課題である。

第5章では、高齢化問題へのアジア諸国の地域協力を考える。日本には高齢社会に取り組んできた「先輩」としての役割が期待されている。日本が高齢化に対する特効薬を見出しているわけではないが、高齢者福祉に対してコミュニティの役割が重視されている観点に立てば、日本には地方自治体をベースとする福祉（地域福祉）に長年取り組んできたという経験と知識がある。さらに、高齢化問題を、環境問題、エネルギー問題などとともに、地域全体が乗り越えるべき共通課題として捉《とら》え、お互いに知恵を提出し、学び合う双方向の協力体制の構築が求められる。昨今議論が高まっている「東アジア共同体」が目指すのは、経済的繁栄だけでなく、人々が安心して生活を送れる社会の実現にほかならない。その意味で、アジアに住むすべての高齢者に目配りした社会構築の支援・協力の関係が築けるかどうかが、アジアが真の共同体になれるかどうかの試金石になると考える。

「まぼろしのアジア経済」を超えて

本書を貫くメッセージは、高齢化が加速するアジア地域において、その繁栄の持続について楽観視することは許されないということである。

かつてアジアの高成長の持続について疑問を呈したのは、米国の経済学者P・クルーグマンであった。彼は「まぼろしのアジア経済（*The Myth of Asia's Miracle*）」（一九九四年）という論文を発表し、アジアの高成長は、労働投入量と資本ストックなど「投入要素の増大」に支えられたものであり、技術革新などの「生産効率の改善」がみられないため、いずれ調整局面を迎えざるをえないと主張した。この指摘は、その三年後の一九九七年にタイを発端とする通貨危機がアジア全域を経済危機へと陥れることを予言したとする見方もあるが、まさに高齢化のなかでこそ現実味を高めている。その意味で各国は、これからその答えを出していくことになる。

「まぼろしのアジア経済」は経済成長の持続に対する問題提起であったが、高齢化問題は、各国にとって、地域にとって、高齢者が安心して生活を送れるかどうかという、経済成長だけでなく、真の豊かさを実現できるかどうかにかかわる重要な問題である。

社会の繁栄や人々の幸福とは、量的豊かさだけで測れるものではない。むしろ近年は、人間らしい生活を送ることを重視した「生活の質（Quality of Life）」という尺度が注目を集めている。また、安心できる生活の維持には、環境との共存や平和の維持などが不可欠であるとの認識も高まっている。つまりアジアの持続的繁栄には、生活の質の向上に資する経済社会の構築がこれまで以上に重要となる。その意味で高齢化は、アジアの繁栄の構図（パラダイム）を変える好機として捉えるべきだと考える。

本書が、「まぼろしのアジア経済」を超え、「豊かなアジア地域」の実現に向けて、私たちが何をなすべきかを考えるきっかけになれば幸いである。

なお本書で主に対象とするアジアは、日本、ＮＩＥＳ（韓国、台湾、シンガポール、香港）、中国、ＡＳＥＡＮ４（タイ、インドネシア、フィリピン、マレーシア）である。ただし、将来展望においては、まだ少子高齢化の段階にないものの、経済関係の深化がみられるベトナム、インドについても、必要に応じて考察の対象に加えた。

老いてゆくアジア　目次

老いてゆくアジア

繁栄の構図が変わるとき

第1章　アジアで進む少子高齢化

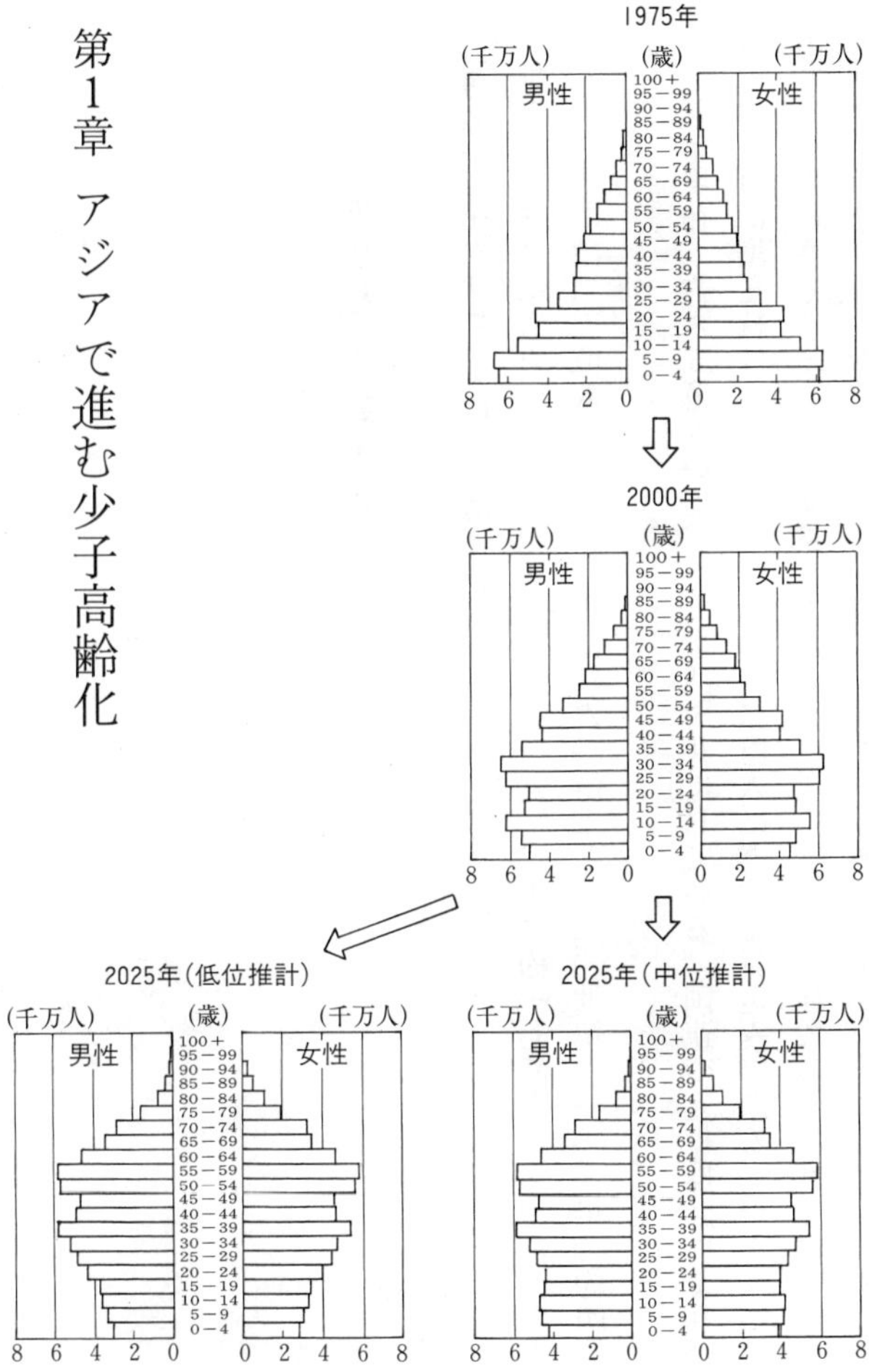

中国の人口ピラミッドの変化(出所)国連人口推計より作成

1　世界人口とアジア

「人口爆発の世紀」から「人口減少の世紀」へ

二〇世紀は、まさに人口爆発の世紀であった。一九〇〇年に約一七億人であった世界人口は、一九五〇年には二五億人、二〇〇〇年には六〇億人と、二〇世紀の一〇〇年で約四倍になった。

二〇〇五年現在、約六五億人が地球上で生活を共にしている。国連の人口推計によれば、今後も世界人口は増え続け、二〇五〇年には九二億人に達する見込みである。つまり二〇〇〇～五〇年の間にさらに三二億人が増加することになる。地球全体でみれば世界はまだ「人口増加社会」であり、この人口増加が地球上の食糧、エネルギー、環境に及ぼす影響は深刻である。

しかし、人口増加のスピードは、時間とともに鈍化している。世界の人口増加率は、一九六五〜七〇年の年平均二・〇%をピークに二〇〇〇〜〇五年には同一・二%へ低下した。この低下傾向は今後も続き、二〇二〇〜二五年には同〇・九%、二〇四五〜五〇年には同〇・四%になる。この推計を延長すれば、世界人口は一〇〇億人に達することなく、今世紀末までにピークを迎え、「人口減少社会」に向かうことになる。つまり二一世紀は「人口爆発の世紀」から「人口減少の世紀」への過渡期にあるといえる。

二〇世紀の人口爆発を説明するにあたっては、しばしばT・R・マルサスの人口原理が引用される。人間が生きていくには食糧（生存資源）が必要であるが、この食糧の制限がないうちは、人口は際限なく増え続ける。しかも、その増え方は二五年ごとに「一、二、四、八……」と幾何級数的に増加する。他方、食糧生産は「一、二、三、四……」と算術級数的にしか増加しない。そのため、人口増加はやがて食糧不足の壁に衝突する。これがマルサスの人口原理である。

このような人口爆発はやがて地球の資源を食いつくすのではないかと、危惧《きぐ》されるようになった。たとえば、一九七二年にローマクラブが発表した『成長の限界（*The Limits to Growth*）』（D・H・メドウス他）は、幾何級数的に増加する人口は食糧不足だけでなく、環境汚染をもたらし、現在のままでは地球全体（人類）の成長はやがて限界に突き当たることを、コンピューター・シミュレーションで示し、世界に衝撃を与えた。

現実には、二〇世紀は「人口爆発の世紀」であったのと同時に「科学の世紀」でもあり、化学肥料や高収量品種の開発や流通の近代化が進んだため、人類は少なくとも二〇世紀に致命的な食糧や資源不足の壁にぶつかることはなかった。しかも、世界人口の増加率は、マルサスやローマクラブが指摘した食糧や資源の限界に突き当たる前に、低下に向かっている。人口増加率が大幅に低下した国は、資源の制約の少ない先進国であり、先進国の人口増加率の低下は、むしろライフスタイルの変化によるものと考えられている。他方、所得水準が低く、食糧事情も十分でない開発途上国では人口増加率がいまだ高いというのが実情である。

世界レベルで加速する出生率の低下

二〇〇六年の国連の人口推計は、先にも紹介したように、二〇五〇年の世界人口は九二億人になると予測している。ところが一九九四年のそれは九八億人に達すると見込んでいた。つまりこの一〇年間に、人口推計は六億人下方修正されたことになる。これは、この一〇年間に人口増加率が低下したことによるが、それは予想を上回るスピードで出生率が低下したことに起因する。

図1－1　世界の合計特殊出生率の推移

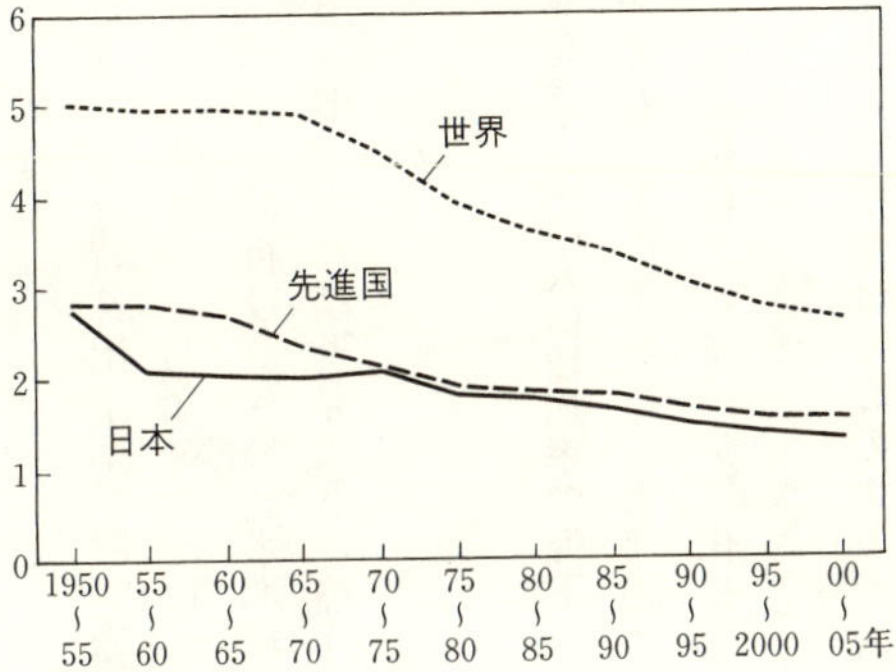

（出所）国連人口推計

図1－1は、世界の合計特殊出生率の推移を示したものである。合計特殊出生率とは、一人の女性が生涯に出産する子供の平均数である。

世界全体でみると、合計特殊出生率は一九五〇～五五年には五・〇と高水準にあったが、一九七〇年代以降低下傾向を強め、二〇〇〇～〇五年には二・七となった。もちろん、合計特殊出生率は先進国の方が低い。先進国では一九五〇～五五年の時点で二・八と、すでに比較的低い水準にあったが、二〇〇〇～〇五年にはさらに一・六へ低下した。なかでも日本の合計特殊出生率は常に先進国の平均を下回り、二〇〇五年には一・二五になった。

さて、一国の人口が安定的に推移するためには、両親が二人の子供を持つことが必要である。実際には、成人に達するまでに死亡する子供が存在するため、人口安定に必要な合計特殊出生率は約二・一である（これを置き換え水準と呼ぶ）。ほとんどの先進国の合計特殊出生率は、この置き換え水準を下回る状況が長期間続いており、したがっていずれ人口減少社会に移行することになる。

日本で合計特殊出生率が置き換え水準を割り込んだのは一九七〇年代半ばであった。もっとも、当時は一時的な現象としてしか捉えられていなかった。経済社会の状況さえ改善すれば、出生率は再び置き換え水準程度に回復すると考えられていたのである。しかし、現実には出生率はそれ以後も低下し続け、その見込み違いは社会保障費を予想以上に増大させる原因となった。

開発途上国の人口増加率の低下

一九八〇年代頃から、先進国における出生率の低下が顕著になったため、世界の人口問題は、先進国においては少子化やそれにともなう高齢化として、開発途上国では人口増加率の高止まり（人口爆発）として、それぞれ別々に捉えられるようになった。

国連人口推計は、このような観点に立って、先進国と開発途上国に区分した統計を発表している。これによれば、先進国の人口は一九五〇年の八億一三五六万人から二〇〇五年には一二億一五六四万人に増加し、開発途上国では同期間に一七億二一五三万人から五二億九九一二万人に増加した。つまり、人口増加の約九割が開発途上国によるものであり、その結果、一九五〇年から二〇〇五年の間に先進国の人口の割合は三二・一％から一八・七％に低下し、開発途上国は六七・九％から八一・三％に上昇した。

この傾向は今後も続く。先進国の人口は二〇二五年に一二億五九〇〇万人に増加した後、二〇五〇年には一二億四五二五万人と若干減少するが、開発途上国は二〇二五年に六七億五一五四万人、二〇五〇年には七九億四六〇四万人に増加する。そのため先進国と開発途上国の人口の割合は、さらに一三・五％、八六・五％に変化する。

国連が定義する先進国は、欧州に位置するすべての国々と、カナダ、米国、オーストラリア、ニュージーランド、日本である。すでに先進国の所得水準にある韓国、台湾、シンガポール、香港が含まれておらず、反対にルーマニアやベラルーシ、ブルガリアなどの所得水準の低い国々が含まれているという問題があるものの、先進国に対し開発途上国の人口比率が高いこと、それがこれからもますます高まるという事実に変わりはない。

むしろ、注意しなければならないのは、同じ開発途上国のなかで人口増加率の低下がみられる国とそうでない国が明確になりつつあるという点である。二〇〇四年以降、国連人口推計は、開発途上国を低所得国とそれ以外とに区分した統計を発表している。この低所得国に含まれるのは図1-2（次ページ）のアフリカ諸国を中心とする五〇カ国である。これら低所得国の人口増加率は、一九八〇〜八五年の二・六％に対して二〇〇〇〜〇五年も二・四％とほとんど変化がなく、高止まっている。これらの国では人口爆発がまだ続いているといってよい。

これに対し、低所得国を除く開発途上国の人口増加率は明らかに低下傾向にある。一九八〇〜八五年の二・〇%は二〇〇〇〜〇五年には一・三%となった。この傾向は今後も続き、

図1-2　先進国と途上国の人口推移(1950-2050)

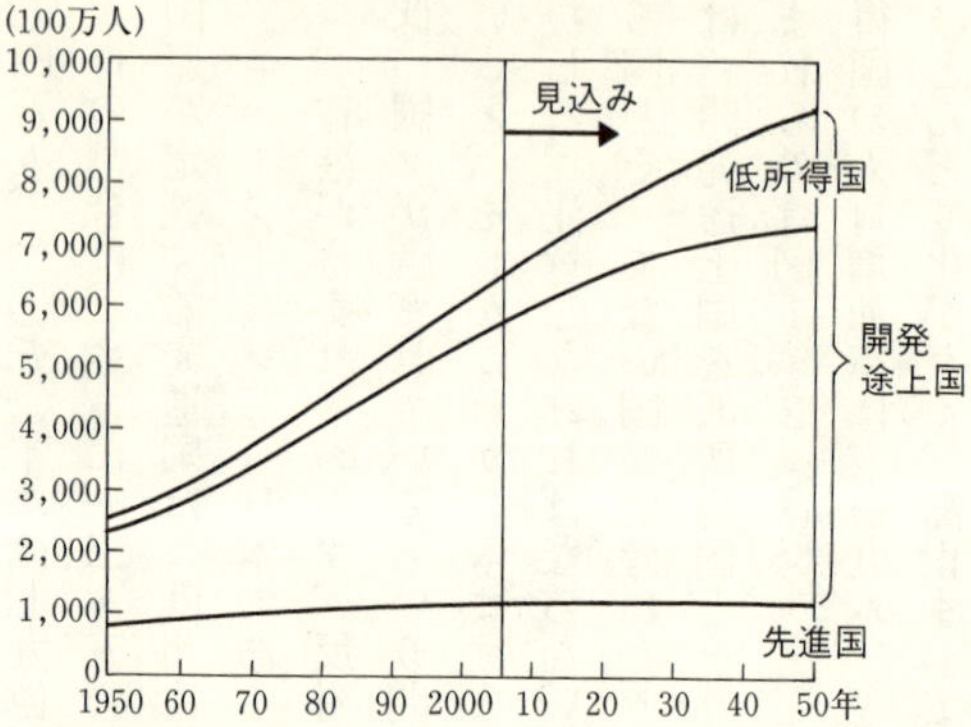

(出所) 国連人口推計

低所得国に含まれる国

アフガニスタン、アンゴラ、バングラデシュ、ベナン、ブータン、ブルキナファソ、ブルンジ、カンボジア、カーボベルデ、中央アフリカ、チャド、コモロ、コンゴ（旧ザイール)、東ティモール、ジブチ、赤道ギニア、エリトリア、エチオピア、ガンビア、ギニア、ギニアビサウ、ハイチ、キリバス、ラオス、レソト、リベリア、マダガスカル、マラウイ、モルディブ、マリ、モーリタリア、モザンビーク、ミャンマー、ネパール、ニジェール、ルワンダ、サモア、サントメ・プリンシペ、セネガル、シエラレオネ、ソロモン、ソマリア、スーダン、トーゴ、ツバル、ウガンダ、タンザニア、バヌアツ、イエメン、ザンビア

二〇四五～五〇年には〇・二％へ低下すると見込まれている。これらの開発途上国においても、先進国と同様に出生率の低下が進んでおり、合計特殊出生率は、一九八〇～八五年の三・九から二〇〇〇～〇五年には二・六へと低下した（低所得国でも六・三から五・〇と低下傾向にあるが、その水準は相当高い）。

つまり、先進国では少子化、開発途上国では人口爆発という、これまでのイメージは変えなければならないのである。

「雁行的人口変化」

人口増加率の傾向、出生率の低下は地域ごとに異なる。

国連人口推計は、世界をアフリカ、アジア、欧州、南米、北米、オセアニアの六つの地域に区分している。この区分に従えば、人口が最も多い地域はアジアであり、二〇〇五年に三九億三八〇二万人と、世界人口の六〇・六％を占める。ただし、この区分によるアジアには、一般にイメージされるものより広範な国が含まれる。たとえば、イラク、イラン、イスラエルなどの中東やカザフスタン、キルギスなど中央アジアをも対象としている。

そこで、日本とＮＩＥＳ（韓国、台湾、香港、シンガポール）、中国、ＡＳＥＡＮ４（タイ、マレーシア、インドネシア、フィリピン）、ベトナム、インドを取り出して再集計してみると、二〇〇五年の同地域の人口は三一億一八八五万人で、世界に占める割合は四七・九%となる。中国とインドという超人口大国を含んでいるため、やはり地球上の二人に一人はアジアに住んでいることになる。

しかし、このアジアの人口は、二〇三〇年には三七億六一五四万人、二〇五〇年には三八億九〇二九万人へと増加するものの、世界に占める割合は四五・二%、四二・三%へ低下する。さらにインドを除くと、二〇〇五年の一九億八四四四万人から二〇三五年に二二億六八八二万人へと増加した後、減少に向かう。その割合は二〇三五年の三〇・五%から二〇五〇年には二四・三%へと大幅に低下する。

国連の区分に基づけば、欧州、北米、アジアの人口の割合が低下し、南米、オセアニアは現在とほぼ変わらず、アフリカだけがその割合を高める。ちなみに、アフリカの人口は一九五〇年には二億二四〇〇万人と全世界の八・八%を占めるにすぎなかったが、二〇〇五年には九億二二〇一万人に増加し、比率も一四・二%に上昇した。さらに二〇五〇年には一九億九七九四万人と倍増し、世界に占める割合は二一・九%となる。これに中東を加えると、二〇五〇年の同地域は二五・六%と、インドを除いたアジアの人口に匹敵《ひってき》することになる。これは世界の勢力地図に影響を与えることになろう。

話をアジアに戻そう。アジア諸国は、近い将来、次々と人口減少社会に向かう。

日本に次いで、韓国と台湾が二〇二〇年頃に、シンガポール、中国、タイが二〇三〇～三五年にかけて人口減少社会に移行する。そのほか、マレーシア、インドネシア、フィリピンでは、二〇五〇年まで人口は増え続けるが、合計特殊出生率は二〇〇〇～〇五年の平均でみると、それぞれ二・九、二・四、三・五の水準にあり、二〇三〇年までに置き換え水準の二・一に達する。人口爆発の印象が強いベトナム、インドにおいても人口増加率はすでに一%台に低下している。合計特殊出生率はベトナムが二・三、インドが三・一となっており、ベトナムの出生率は東南アジアではシンガポール、タイに次いで低い。このように、アジアでは人口爆発から人口減少へ移行しているだけでなく、少子化も進んでいるのである。

人口規模の変化は、大まかには所得水準と強い相関関係にある。つまり日本、NIES、中国、ASEAN4、ベトナム、インドの間では、所得水準の高い国から順に出生率が低下する傾向があり、またその順で人口減少社会に移行する。

かつて日本を先頭にNIES、中国、ASEAN4が続いて経済発展したパターンは「雁《がん》行《こう》的発展」と呼ばれた。人口面においても「雁行的人口変化」ともいうべき事態が起こっているのは興味深いことである。

雁行的発展のなかで、後発国ほど先進国の技術の蓄積を利用できるため、急速に工業化を進めることができるという「後発性の利益」を享受できた。人口面でも同様に、後発国ほど人口増加という現象は急速に進展するが、同時に先進国の経験や新しい保健・医療技術と制度を取り入れることで、人口問題に的確に取り組むことができるという利点があった。ただし後発国は低所得のうちに高齢・人口減少社会に突入するため、その経済社会への影響は日本よりも大きい。このことについては後に詳しく述べる。

2 アジアにおける出生率低下の背景

人口転換モデル

アジアではなぜ出生率の低下がこれほど急速に起こったのだろうか。これを理解するためには、アジアの人口動態の背景をあらかじめ把握しておく必要がある。

一国の人口は、出生者数の変化（出生率）と死亡者数の変化（死亡率）による自然増加率と、国境を越える移動人口によって説明される。アジアでは、移動人口は少ないので、ここでは出生率と死亡率による人口の変化である自然増加率を人口増加率とみなして話を進める。

さて、欧州や北米の経験をもとに、出生率と死亡率の変化から人口変化を説明するモデルが「人口転換モデル」である（図1－3）。このモデルでは、死亡率と出生率の水準と変化から、人口変化を以下の四つの局面に区分している。

図1－3　人口転換の概念図

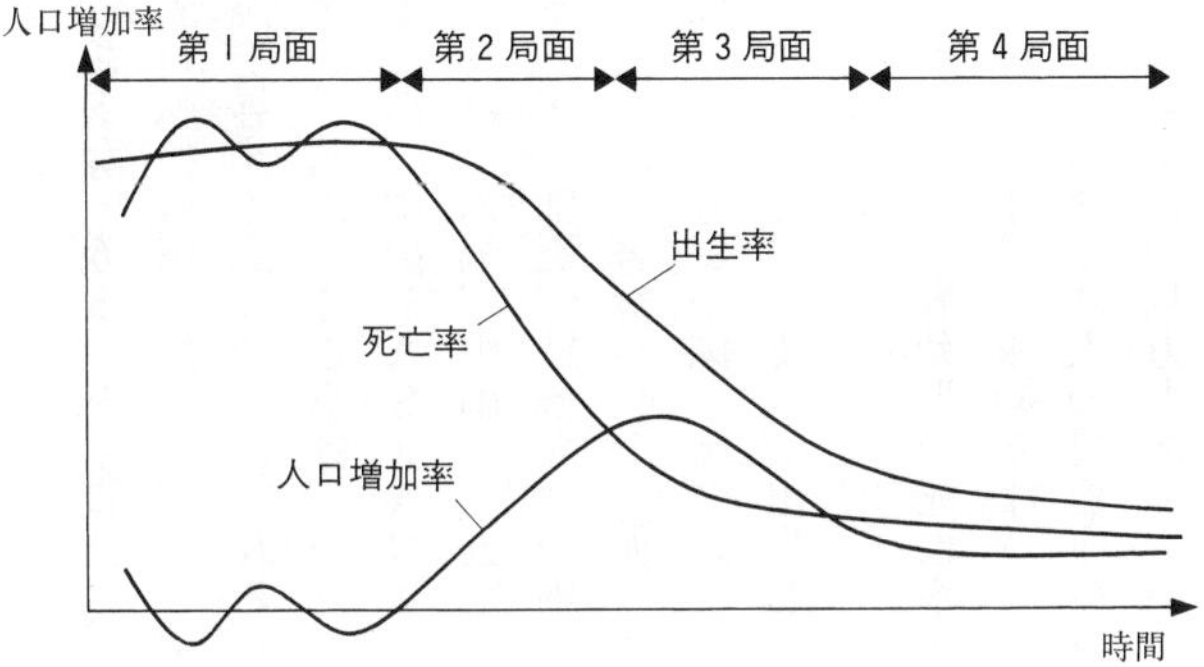

(出所) 渡辺利夫(1988)ほかを参考に作成

第一局面は、死亡率・出生率が共に高い「多産多死」の局面、第二局面は、出生率に先駆けて死亡率が低下する「多産少死」の局面、第三局面は、その後出生率が低下する「少産少死」の局面、第四局面は死亡率と出生率が低位で安定する「人口均衡の局面」である。このモデルは、開発途上国の人口変化を理解する際にも役立つ。

このモデルを用いて、アジア諸国が低所得段階で人口問題をいかに解決してきたのか、低所得段階でなぜ出生率が低下したのかを考えてみたい。人口転換モデルでは、出生率と死亡率とを比較するため、それぞれ一〇〇〇人当たりの出生者数と死亡者数である粗出生率（Crude Birth Rate）と粗死亡率（Crude Mortality Rate）を用いる（単位は‰：パーミル、千分率）。以下、これらを単純に出生率、死亡率と呼んで、話を進めることにしよう。

「多産多死」から「多産少死」へ

人口転換の第一局面は、出生率が高く、死亡率も高い局面である。天候や疾病により死亡率が上昇する危険にさらされるため、人口は不安定で大きく変動する。

アジア諸国の死亡率は、一九五〇年の時点で日本やNIESにおいてこそ低い水準にあったものの、中国やASEAN4、ベトナム、インドでは高かった。なかでもインドネシアやインドは二六‰、中国は二五‰と世界平均の二〇‰を大幅に上回っていた。コレラ、赤痢《せきり》、マラリア、肺炎、結核などの細菌感染による死亡が多く、抵抗力の弱い乳幼児の死亡率が高かった。出生者数一〇〇〇人に対する一歳未満の死亡者数（乳児死亡率）は、インドネシアでは二〇一人、中国では一九五人、インドでは一六六人と高く、これはアフリカとほぼ同じ水準にあった。つまり、出生した一〇人のうち約二人が一歳の誕生日を迎えることができなかったのである。

このように、乳幼児の死亡率が高い状況では、人々は人口維持あるいは生活維持のために、より多くの子供を求めるようになり、出生率は高くならざるをえない。また、アジアにおいては、二〇世紀に入って稲作が急拡大し、田植えや収穫に多くの労働力を要したことが出生率を高めたとの見方もある。いずれにせよ、一九五〇年時点で中国やASEAN4、ベトナム、インドの出生率は四〇‰を上回っていた。合計特殊出生率は、ほとんどの国で六・〇を超え、フィリピンでは七・三という驚くべき高水準にあった。

人口転換の第二局面は、生活水準の向上や保健衛生の改善によって、出生率に先んじて死亡率が低下する局面である。

先進国における死亡率は、一八〜一九世紀にかけて農業革命や産業革命により社会が生産力を高めるなかで徐々に低下した。二〇世紀に入ると、栄養状態の改善に加えて、ワクチンや抗生物質など新薬の開発、衛生の管理技術の向上を背景に、死亡率はさらに低下した。

このような先進国の死亡率の低下は、自らの努力による生産力の拡大、保健衛生概念の浸透、医療技術の開発によって実現したものであった。とはいえ、死亡率が三〇‰から二〇‰に低下するのに、フランスでは七八年、スウェーデンでは三七年、米国では三二年、英国では二七年の時間を要した。

これに対して、アジアを含め開発途上国の死亡率は第二次世界大戦後に急速に低下した。これには、戦後、アジア諸国に先進国で開発された防疫・医療の技術が広範囲に普及したことが寄与した。とくに、コレラ、赤痢、マラリアなどに悩まされていた開発途上国において先進国で開発された殺虫剤・抗生物質・ワクチンが援助を通じて大量に導入されたことで、多くの生命が救われた。

図1－4　死亡率の推移

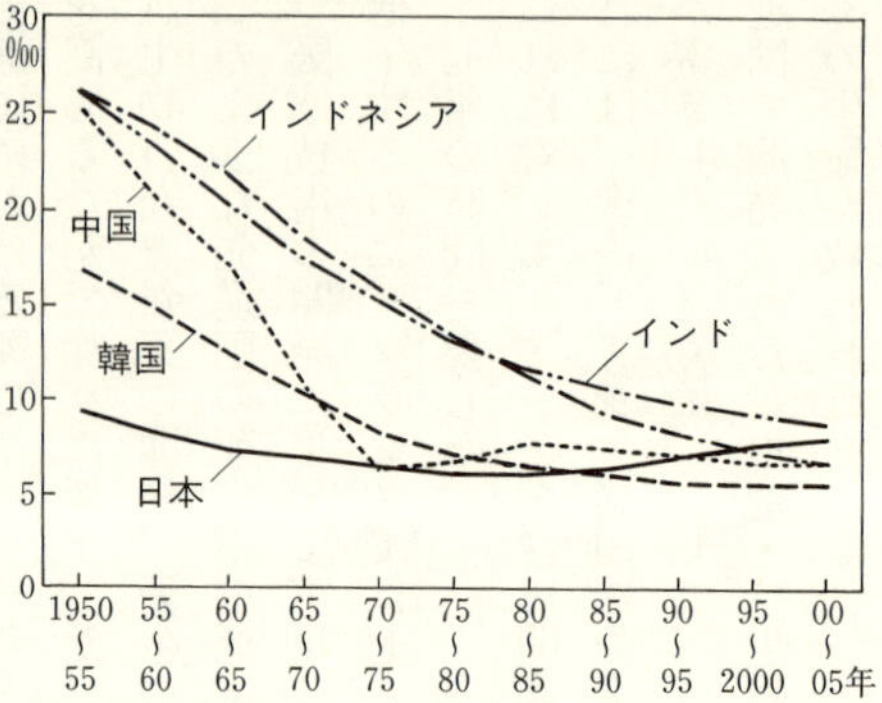

（出所）国連人口推計

これらの効果が高かったことは、抵抗力の弱い乳児の死亡率が低下したことをみても明らかである。一九五〇～五五年と一九七〇～七五年の乳児死亡率を比較すると、一〇〇〇人の出生に対する一歳未満の死亡者数は、韓国では一一五人から三八人に、中国では一九五人から六一人に、タイでは一一八人から五六人に劇的に低下した。その結果、死亡率も韓国では一七‰から八‰、中国では二五‰から六‰、タイでは一六‰から九‰と急速に低下した（図1－4）。

先進国における死亡率の低下が、自らの生産力の拡大や医療技術の開発という「内生的」なものであったのに対して、開発途上国の死亡率の低下は、先進国の経験と技術の導入による「外生的」なものであった。まさしく、人口問題においてアジアは「後発性の利益」を享受したのである。

他方、多産を支える価値観や慣習、文化、制度などは急速には変化しなかったため、出生率の低下は緩慢であった。一九五〇～五五年と一九七〇～七五年の出生率を比較すると、韓国では、三七‰から二九‰、タイでは四四‰から三〇‰、中国では四四‰から二九‰に低下したものの、死亡率の低下スピードには及ばなかった。

このような死亡率の急速な低下と出生率の緩慢な低下とのギャップが、人口増加率の上昇の原因となった。NIESでは一九五〇～六〇年にかけて、ASEAN4では一九六〇～七〇年にかけて、人口増加率は年平均三％を超えた。その結果、農村では一人当たりの耕地面積は減少に向かい、「過剰人口」こそが開発途上国の経済発展を阻害するものであると強く認識されるようになった。そして、このような人口急増には人口爆発という言葉が与えられ、前述のローマクラブの『成長の限界』が世界で広まる背景となったのである。なお、このような人口転換の第二局面における人口ピラミッドは、年少人口が多い「富士山型」になる（図1-5）。

図1-5　多産少死の人口ピラミッド
（例：タイ1975年）

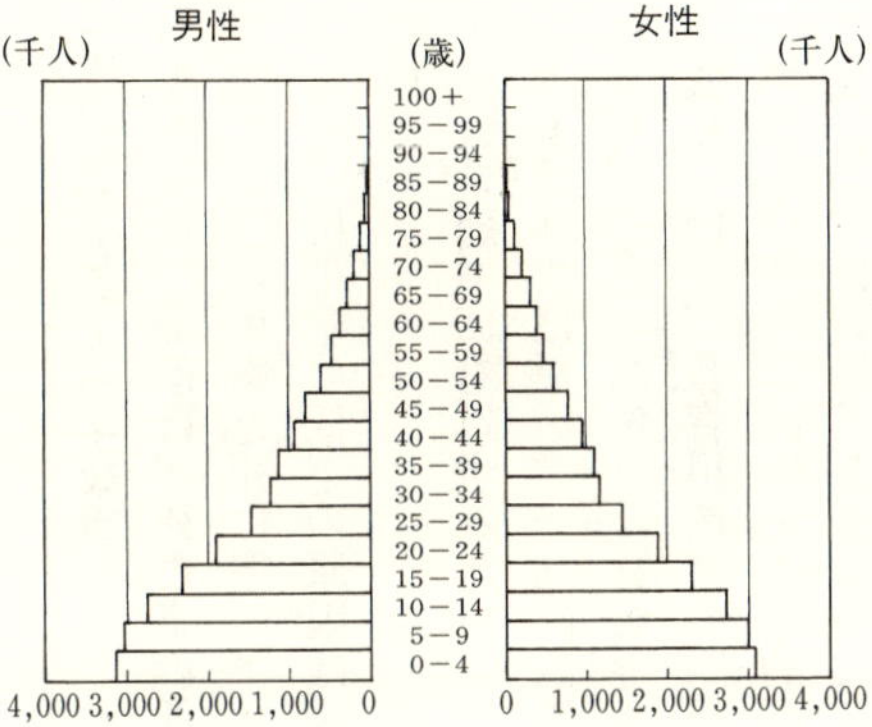

（出所）国連人口推計より作成

出生率の低下と一人っ子政策

人口転換の第三局面は、死亡率の低下を追いかけるように出生率が低下する局面である。この局面では、出生率と死亡率のギャップが次第に縮小するため、人口増加率も低下に向かう。ただし、出生率の低下の原因は複雑であり、各国によって異なることに注意しなければならない。

まず、人口急増に対処するため、人口抑制を優先度の高い政策として実施する国が出てきた。日本も例外ではない。一九四八年に「優生保護法」を制定し、人工妊娠中絶を実質的に合法化した。一九五四年に「日本家族計画連盟」「日本家族計画普及会」が発足し、避妊具機器・薬品の販売、教育用機材の開発・普及、関連分野の指導員の養成に力を入れてきた。アジア諸国も同様に、政府が主導的に「家族計画」の普及に努力し、先進国や国際機関もこれを支援した。しかし、出産は個人や家族の価値観によるため、政府の人口抑制策は間接的なものにならざるをえなかった。

アジアでは例外的に、中国が「一人っ子政策」という強制的な人口抑制策に踏み出した。「一人っ子政策」は、中国の人口構成を大きく変化させ、同国経済だけでなく、今後のアジアの経済発展に影響を及ぼす要因になると考えられるため、ここで若干説明を加えておきたい。

中国の「一人っ子政策」は、「晩婚」「晩産」「少産」などをスローガンに国策として人口抑制を図ろうとしたものである。一九八二年九月に公布された「中華人民共和国婚姻法」により、法定婚姻年齢の引き上げ（男性二十三歳、女性二十歳）、出産計画遂行の義務化などが規定され、一人っ子を宣言する夫婦に対しては証書を発行した。証書を受けた夫婦には、奨励金の支給、託児所の優先入所、学校への優先入学、保育費や学費補助、医療費支給、就職の優先、住宅や宅地の優先割当、年金割り増しなどの手厚い恩典を与えた。他方、一人っ子を守らない（計画外出産）場合には、超過出産費の徴収、社会養育費の徴収、賃金カット、昇給昇進停止などの厳しい罰則を科した。

中国が「一人っ子政策」に乗り出した背景として、一九五八〜六一年にかけての大躍進運動と呼ばれる農工政策による、死亡率の上昇と出生率の低下という非常事態を理解する必要がある。大躍進運動で実施された強制的な集団農場化や過剰な取立ては、非効率な農産物輸送とあいまって、一六〇〇万人から二〇〇〇万人の「非正常死」を発生させた。このことは、中国の人口動態の推移においてもはっきりとみることができる（次ページの図1－6）。

人口の変化には、死亡率が著しく上昇した直後に、出生率がそれを補うように上昇するという経験則がある。中国の場合も同様の動きがみられた。具体的に合計特殊出生率でみると、

図1-6　中国の人口動態(1951-2004)

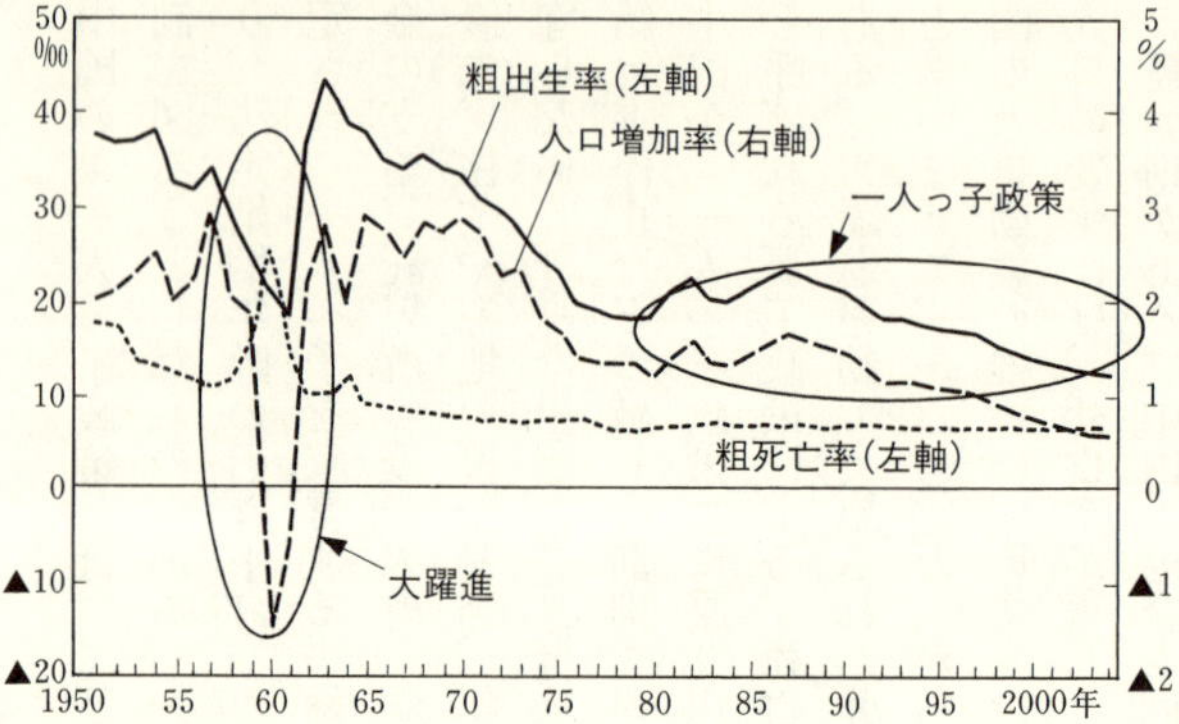

(出所) 中国統計年鑑

六一年の三・三から六二年に六・〇、六三年には七・五へとほぼ倍増した。その結果、六〇年代の人口増加率は二%を超えた。ちょうどこの時期、世界レベルで開発途上国の人口爆発が問題視されており、中国政府がこれに危機感を高めたことは疑いない。これが「一人っ子政策」に踏み切った背景である。

しかし出生率は七〇年代に入って急速に低下し、前述の「中華人民共和国婚姻法」が制定された八二年には合計特殊出生率はすでに二・九に低下していた。つまり、中国では「一人っ子政策」によって出生率が低下したという印象が強いが、正確には出生率の低下を加速させたと捉えるべきであろう。一九八〇年代半ばに、将来の高齢化に配慮し、農村における第二子出産規定を一部緩和したが、出生率の低下に歯止めをかけることができなかった。二〇〇〇～〇五年の合計特殊出生率は一・七とすでに人口置き換え水準を大幅に割り込んでいる。

「一人っ子政策」について、この政策が廃止されれば、出生率は上昇するのではないかという見方もあるが、次にみるように「一人っ子政策」のような強制的な人口抑制策を実施していない他のアジア諸国でも、出生率の低下が等しく加速していることを考えると、「一人っ子政策」を廃止しても、中国の出生率は容易には上昇しないと思われる。

子供を持つことの効用と不効用

では、アジア全体で起こっている出生率の低下には、政府の人口抑制策のほかに、どのような要因が作用したのだろうか。

先進国の経験では、出生率の低下は、所得水準の上昇と強い相関関係にあることがわかっている。また、開発途上国においても、所得水準の上昇にともない出生率が低下することが確認されている。しかし所得上昇が出生率の低下を促進する経路はさまざまである。たとえば、都市化の進展、女性の教育機会の増大、女性の社会参加の高まりなどが出生率の低下に影響したという分析は多々ある。その結果、現在では、女性の早婚、低い教育水準、家族計画の普及の遅れ、高い乳児死亡率などの改善が、開発途上国における人口増加の歯止め策として認識され、実施されている。一九九四年にエジプトのカイロで開催された国際人口開発会議では、家族計画のような人口抑制策ではなく、女性の健康や権利などの保護を通じた「人権アプローチ」を重視すれば、開発途上国の人口問題を解決できるとの考え方が強調された。

社会全体からみると、所得水準の上昇やそれにともなう社会構造の変化が出生率低下の要因であるが、出生率が具体的にどのような水準に決まるかは、両親の子供を持つことについての価値観の反映と考えることができる。子供を持つか持たないかの違いを、効用と不効用という点から検討したものとして「ライベンシュタイン・モデル」がある。

このモデルを参考にしながら、アジアで起こった出生率低下の背景を考えてみよう。このモデルでは、三つの効用と二つの不効用から子供の数が決まるとしている。結論を先取りしていえば、アジアではこれらの効用が低下し、不効用が上昇していると考えられる。

子供を持つ効用の第一は、子供を持つこと自体の充足感である。子供を持つことの喜びは、いずれの社会でも、かけがえのないものであろう。両親は、子供は二人に、あるいは三人にしようなどと、理想の家族像を持っている。ただし乳幼児死亡率が高い場合には、希望する人数の子供を確保するためには、出生率を高めなければならない。また、社会での死亡率が低下に向かっても両親がそれを実感するのは、かなり後のことである。このことが人口転換の第二局面で死亡率の低下にともなって出生率が低下しなかった原因の一つと考えられる。

しかしひとたび死亡率の低下が実感できるようになれば、希望する子供の数に対して出産する子供の数を減らすことができる。

効用の第二は、子供の労働もしくは所得がもたらす効用である。開発途上国では、子供は重要な働き手である。アジアの主要作物はコメであり、田植えと収穫には多人数を必要とする。機械化されていない開発途上国の農村には、まさに「猫の手も借りたい」という状況があった。しかし、経済発展とともに産業構造が農業主体から工業主体に転換したこと、また農作業が機械化されたことなどは、子供の労働力としての価値を低下させたに違いない。韓国や台湾では、就業面の農業から工業への移行が急速に高まった時期に、出生率は大きく低下した。このような子供の労働力としての効用の低下は、期待出生数そのものの引き下げに寄与したと思われる。

効用の第三は、子供が老後の面倒をみてくれるという所得保障効果である。アジアの典型的な家族形態として、祖父母、両親、子供が同居する大家族を想定する人は多い。大家族では子供が親を養うことが慣習として社会に組み込まれてきた。しかし経済発展とともに、若年層は故郷を離れ、都会で暮らすようになった。子供が同居しない状況が一般化すれば、親が子供に老後の面倒をみてくれるよう期待することは困難になる。また年金や医療保険などの社会保障制度が整備されたことが、子供への期待を低下させる原因となるとの考え方もある。

次に子供を持つことの不効用はどうだろうか。

不効用の第一は、子供を育てる費用などの直接的な金銭負担の増加である。子供を育てるためには衣食住や教育のための支出が必要である。農村においては、所得不足が生じたとしても、地域の助け合いなどにより、それは緩和されるかもしれないが、都市部での生活は両親自らの所得のなかから支出をやりくりする以外にない。また、経済発展とともに、収入は学歴と相関関係を持つようになり、一人の子供への教育支出は増大する。そのような子供への直接費用の増大が、子供の数を制限する要因になったと考えられる。

不効用の第二は、子供の養育に時間を費やすことによって、両親が就業・所得機会を犠牲にするという機会コストの増加である。経済発展とともに女性の就学率が向上し、女性の労働参加率も上昇する。農村においても女性の農業外収入の機会が広がれば、子供の数を制限して実質的な収入を増やそうとするインセンティブが働く。その結果、晩婚化が進み、非婚者が増え、このことも社会全体の出生率を引き下げた。

これらのうち、どの要素が出生率に最も影響を与えたかは国によって異なるが、アジア各国の出生率は一九八〇年代以降の経済成長期に急速に低下した点では共通している(図1-7)。

一九七五～八〇年と二〇〇〇～〇五年の出生率を比較すると、韓国では二四‰から一〇‰へ、タイでは二八‰から一五‰へ、中国では二二‰から一四‰へ、それぞれ低下した。フィリピンでさえ、同期間に三八‰から二八‰へ低下した。イスラム社会では出生は神の意思とする考え方があるため、家族計画の導入に宗教的な制約が強く、普及が困難であったといわれているが、イスラム教徒が多数を占めるインドネシアでも三五‰から二一‰、さらに人口増加を国策としていたマレーシアでも二九‰から二三‰に低下した。このことは、所得上昇とともに、子供を持つことの効用、不効用の作用する力が大きく変化したことを示唆している。

　このような出生率の低下により、二〇〇五年の人口増加率は韓国、台湾、香港、タイ、中国では一%を下回っている。

　人口転換の第三局面における人口ピラミッドは、子供よりも若年層の人口が多く、裾《すそ》の狭い「釣鐘

図1-7　アジア各国の出生率の推移

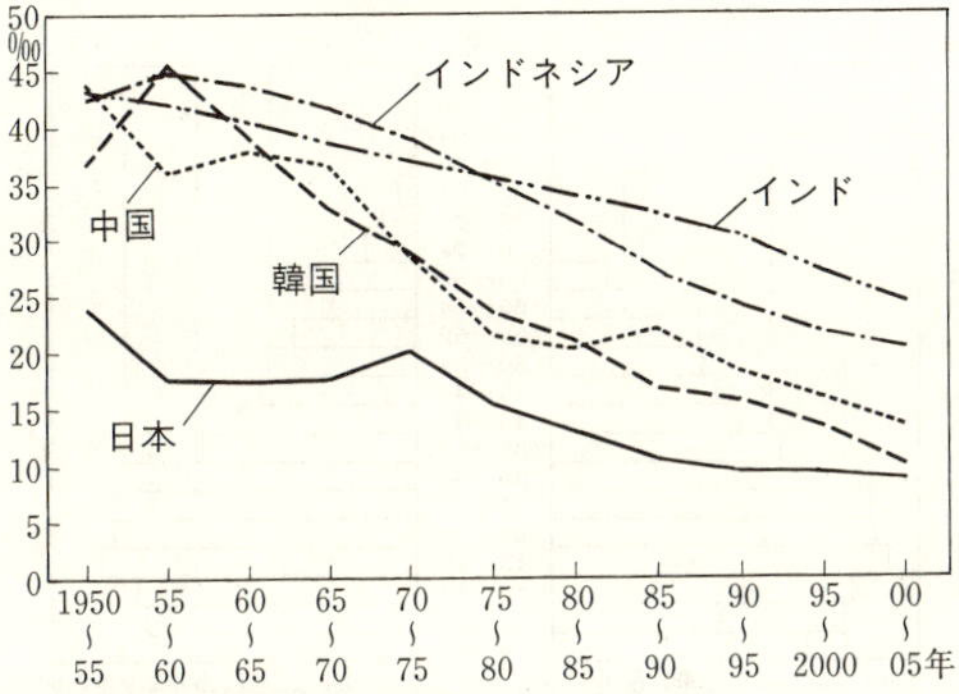

（出所）国連人口推計

図1－8　韓国の人口ピラミッド（1990年）

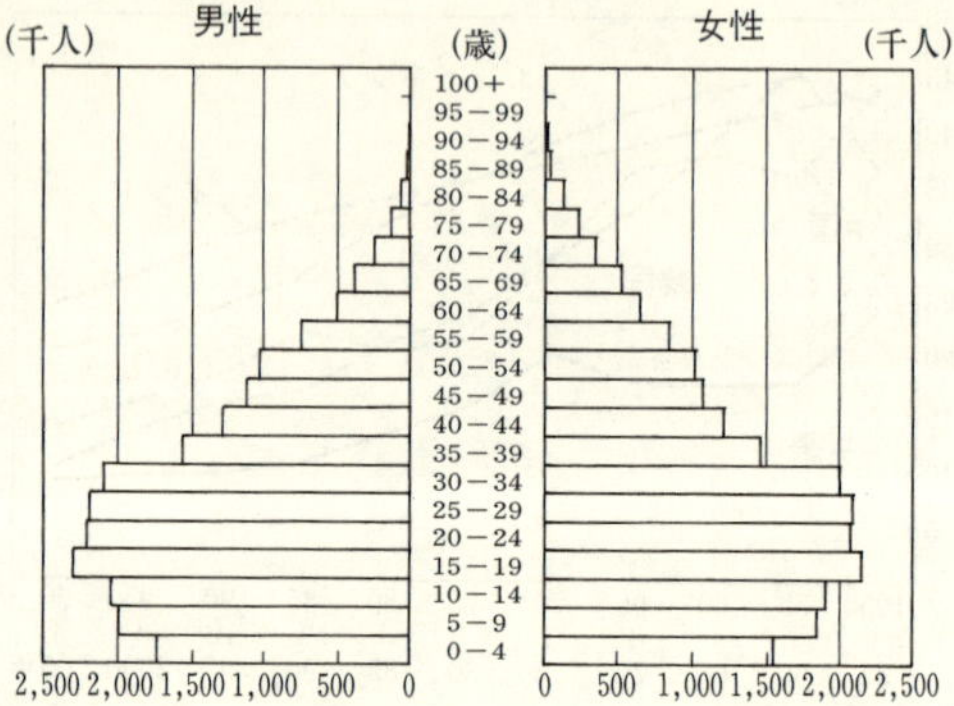

（出所）国連人口推計より作成

型」となる（図1－8）。中国やASEAN4の都市部の躍動感は、この人口ピラミッドによって支えられている。このような若年層の厚みは、出生率が急速に低下した結果形成されたベビーブーム世代である（日本では「団塊の世代」とも呼ばれる）。アジアの人口動態の特徴は「多産少死」から「少産少死」への移行が先進国より早い時期に、またより速く進んだ点にあり、その結果、各国の人口構成は分厚いベビーブーム世代を持っている。

「少産少死」そして「少子化」

人口転換の最終局面（第四局面）は、死亡率と出生率が低水準で均衡し、人口数が安定的に推移する「少産少死」の局面である。人口が安定的に推移する点に着目して、仮に合計特殊出生率が置き換え水準である二・一に達した時点を人口転換の第四局面への移行点とすると、日本は一九七〇年代半ばに、NIESが一九八〇年初頭に、中国とタイが一九九〇年代に、この局面に到達したことになる。その他のＡＳＥＡＮ諸国も今後二〇年のうちに第四局面に達する。

　アジアにおける低所得水準での出生率の低下は、死亡率が「外生的」に低下したことに影響を受け、その後の急速な経済発展による社会的変化に対応したものであったといえよう。

　ところで、人口転換モデルの第四局面は、出生率と死亡率は低水準で安定し、かつ人口増加率が低水準で安定すると想定しているが、実際には出生率が死亡率を下回るような局面に入ってきた。二〇〇五年の日本の合計特殊出生率は一・二六であるが、二〇〇五年の時点で韓国は一・一、台湾は一・一、シンガポールは一・二、香港は一・〇と、いずれも日本の水準を下回っている。中国やタイでもそれぞれ一・八、一・九であり、低下傾向は続いている。これらは明らかに人口転換の第四局面とは異なり、「極少産（少子化）少死」の第五局面、もしくは先進国型の「第二の人口転換」として捉えるべきトレンドといえよう。

　このような少子化の原因分析には、今後の研究がまたれるが、日本や欧州などでの分析のなかから興味深いものを挙げ、アジアで現在、起こっていることを考えてみよう。

　第一は、家族形態の変化である。先に大家族が核家族に変化しつつあることを挙げたが、さらに親子の同居の形も崩れてきている。韓国では夫婦のみの世帯が一九九〇年の九・三％から二〇〇〇年には一四・八％に上昇した。タイでも平均世帯の構成人数は一九九〇年の四・四人から二〇〇二年には三・五人に減少し、単身世帯の割合は、一九九〇年の六・二％

から二〇〇〇年には一〇・一%に上昇している。また、アジア各国において離婚率が急速に上昇している。日本では一九七〇年の六%から九七年には一六%に上昇したが、韓国では七九年の五%から九七年には一八%に、シンガポールでも一九八〇年の七%から九七年の一五%に上昇しており、上昇率は日本よりも高い。このような家族形態の縮小や持続性の欠如は、子供の数を減らす要因になっていると考えられる。

第二は、結婚そのものに対する認識の変化である。女性の高学歴化と就業機会の増加により晩婚化が進んでいる。平均初婚年齢をみると、日本の女性については、一九七五年の二十四・五歳から九八年には二十六・七歳に、二〇〇四年にはさらに二十七・八歳へと上昇している。韓国では、一九六〇年の二十一・五歳から一九九八年に二十六・二歳へ、シンガポールでは一九七六年の二十四・六歳から九八年には二十六・〇歳に上昇した。中国やASEAN4では年齢的には低いものの、中国は一九七〇年の二十一歳から一九九五年は二十三歳、二〇〇一年には二十四歳に、タイでは一九六〇年の二十二歳から九〇年に二十三歳、二〇〇〇年には二十四歳と徐々に上昇している。自然出生力のピークが二十歳代前半にあることを考えると、初婚年齢の二十歳代後半への移行が合計特殊出生率の低下に及ぼした影響は小さくないであろう。

第三は、子供の養育コストの増大である。とくに教育コストは近年さらに加速して増加しているようにみえる。経済発展とともに地域間の所得格差が拡大しているが、都市部では労働者の勤め先が外資企業、地場企業、国営企業かによって、その給与水準が大きく異なる。そして、企業の採用基準は、高校よりも大学、そして国内の大学よりも米国や欧州での留学経験者など、学歴が優先されるようになっている。実際に多国籍企業では海外でのＭＢＡ（経営学修士）取得者が破格の給与を得ている。

この学歴社会の波は、都市部のみならず、農村を飲み込もうとさえしている。農村と都市の所得格差が拡大するなかで、子供を都会での安定的な仕事に就かせたいと思うのは親心である。そのために必要なのは小学校より中学校、中学校より高校、大学の学歴だとすれば、少ない所得をそれに振り向けるために、子供の数を控えなければならない。タイの合計特殊出生率は地方でも低く、二〇〇〇年の人口センサスでは、バンコク市を除く七五県中五九県が置き換え水準を下回っていることが判明した。

第四に、メディアの普及によるライフスタイルの変化を挙げておきたい。前述のいずれにも関係するが、現在では、国内外で起こっていることを映像を通じて、リアルタイムで知ることができる。都会に住む中高所得者は、先進国で起こっている消費トレンドをインターネットを通じて獲得する。たとえば、流行の衣服を身にまとい、「スターバックス」のコーヒーを飲み、『ハリー・ポッター』を読み、「ダ・ヴィンチ・コード」を鑑賞することが、アジアの都市部では先進国とほぼ同時に生じている。地方においても、インターネットはなくても、都会に住む人たちがどのような消費生活を送っているかを、テレビを通じて知ることができる。メディアの普及は、都市部のライフスタイルの先進国化、そして農村のライフスタイルの都市化を促進させる力となっているのである。

今後の出生率の推移

それでは、アジアの出生率は今後どのように推移していくのであろうか。

国連の人口推計は、合計特殊出生率を変化させることによって、四本のシミュレーションを作成している。

最も頻繁に用いられる「中位推計」は、合計特殊出生率が一・八五で安定するというシナリオに基づいて作成したものである。そのほかに、合計特殊出生率が二・三五で安定するとした「高位推計」、同様に一・三五で安定するとした「低位推計」、二〇〇〇〜〇五年の平均合計特殊出生率を不変とする推計の三つがある。

たとえば、中位推計においては、合計特殊出生率が一・八五よりも低い水準にある国は速やかにこの水準まで上昇し、この水準付近にある国はその後も安定し、高い国は徐々にこの水準まで低下することを前提にしている。アジアについてみれば、日本やＮＩＥＳの合計特殊出生率は二〇三五年頃までを目処《めど》に一・八五に回復し、タイと中国は二〇〇〇～一〇年以降に安定し、他のＡＳＥＡＮ諸国やインドも二〇二〇年から三〇年にかけて一・八五まで低下することになる（図1－9、1－10）。

国連人口推計は、これらのシナリオを全世界に対して一律に適用し、世界の状況を概観す

図1－9　日本と韓国の合計特殊出生率の推計

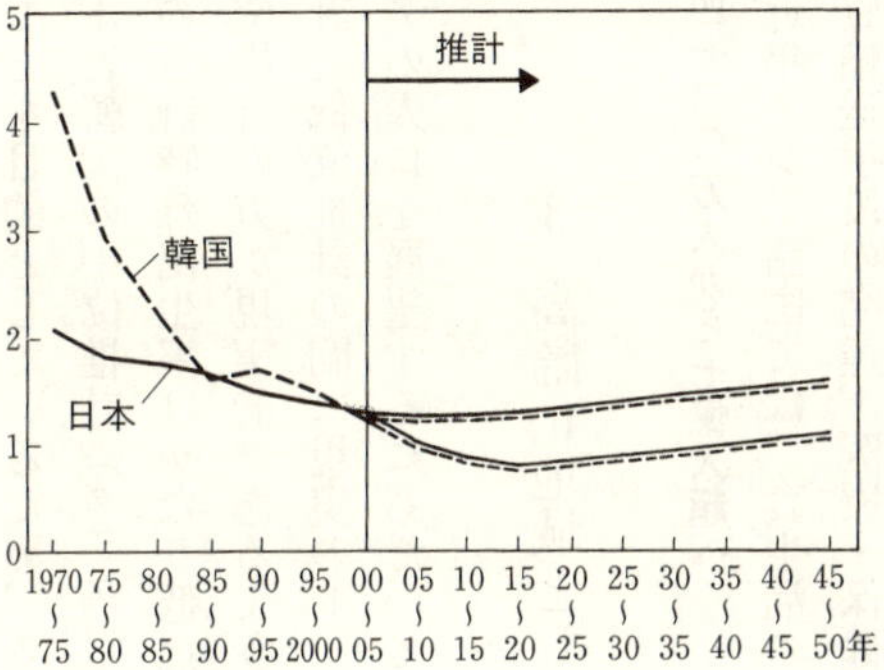

図1－10　中国、タイ、インドの合計特殊出生率の推計

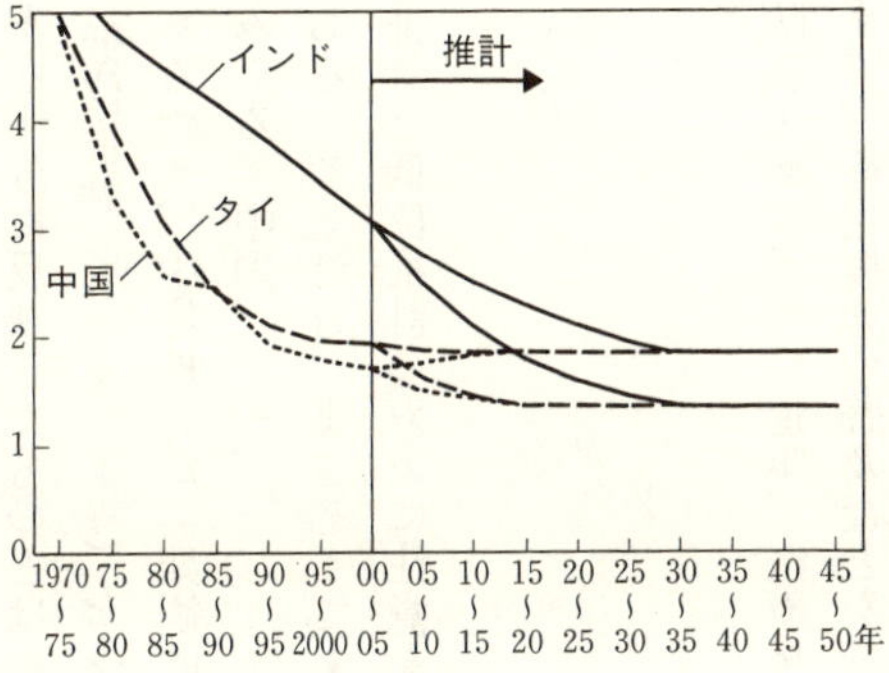

（出所）国連人口推計より作成

ることを目的としているため、各国の状況を十分に反映したものとはなっていない。図は、日本と韓国の中位推計（グラフの上線）と低位推計（グラフの下線）をみたものであるが、両国の合計特殊出生率はかなり低い水準にあるため、中位推計が「楽観的シナリオ」にみえ、低位推計の方が現実的であるようにさえみえる。中国、タイ、そしてインドも同様で、中位推計と低位推計の間に現実のトレンドがあると考えた方がよさそうである。したがって、アジアの人口を展望するにあたっては中位推計と低位推計の双方に注意を払う必要がある。

3　高齢化地域としてのアジア

四七〇〇万人から七億人超へ

近年アジア諸国では、食生活の改善、防疫・衛生手段の進歩、医療施設とサービスの整備、物資輸送手段の発達、医療・保健制度の充実、衛生概念の普及などを背景に平均寿命が大幅に伸びており、この傾向は今後も続くものと考えられている。タイでは一九五〇〜五五年の五十一歳から二〇〇〇〜〇五年には六十九歳に、インドネシアでは同期間に三十八歳から六十九歳に、中国では同じく四十一歳から七十二歳に伸びた。この傾向は続き、国連の人口推計では、タイは二〇二〇〜二五年が七十四歳、二〇四〇〜四五年が七十七歳に、インドネシアは七十四歳と七十八歳に、中国は七十五歳と七十八歳に、それぞれ伸びると見込まれる。もちろん平均寿命の伸長は、何より前述の乳児死亡率の低下や幼児死亡率の低下によるところが大きい。しかし経済発展のなかで高齢者の死亡率も低下している。

図1-11　タイの年齢別死亡率

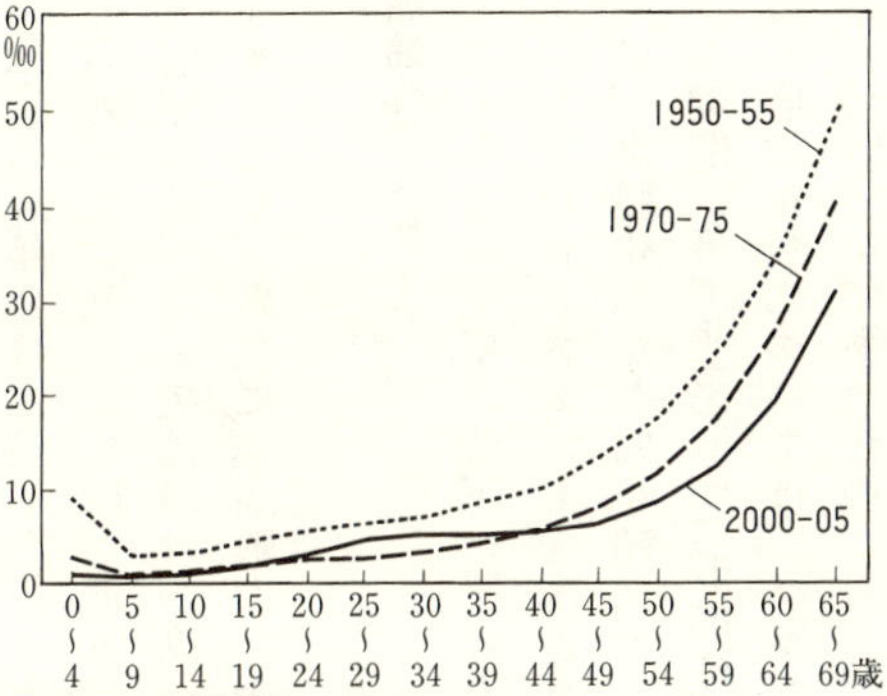

（出所）国連人口推計より作成

図1-11はタイのある時点の年齢層（コーホート）の人口とその五年後の人口を比較し、年平均の死亡率を計算したものである。時間とともに曲線が下方にシフトしており、幼少児の死亡率だけでなく、全体的に死亡率が低下していることがわかる。六十五歳以上の高齢者においても同様の傾向にあり、高齢者の死亡率の低下も平均寿命の伸長に寄与した。二〇〇〇年の二十五～四十歳の年齢層で死亡率が高くなっているのは、不慮の事故（とくに交通事故）とエイズの影響と考えられる。

いずれにせよ、高齢者の平均余命も伸長傾向にある。その結果、インドを含めたアジアの高齢人口は急速に増加する。一九五〇年には四七二九万人に過ぎなかった高齢人口は、一九八〇年には九六一五万人、二〇〇五年には二億一四三七万人に増加した。さらに今後は、二〇二五年には四億一二〇七万人、二〇五〇年には七億五〇〇五万人にまで急速に増加する見込みである。二〇〇五〜五〇年の間、アジアにおける高齢人口の増加率は年平均三・三%、アジアでは人口爆発は終息をみたが、新たに「高齢人口爆発の時代」に入ったといえる。

高齢化のスピード

このような出生率の低下と平均寿命の伸長を背景に、今後アジアでは高齢化が加速する。次に、高齢化のスピードを国連推計から計算してみよう。高齢化のスピードを示す指標としては、高齢化率が七%を超える「高齢化社会」から一四%を超える「高齢社会」にいたるまでの期間（倍加年数）が一般的に使われる。

この倍加年数については、フランスが一一五年、スウェーデンが八五年、英国が四七年、ドイツが四〇年であったのに対し、日本はわずかに二四年であった。この数字は、日本の高齢化がいかに世界で類をみないスピードで進んだかを示すものとして、頻繁に使われてきた。しかし、アジアではほとんどの国で、日本と同等かもしくはそれ以上のペースで高齢化が進むことになる。表1-1はアジアの高齢化のスピードをみたものである。とくにシンガポールは一六年、韓国は一八年で「高齢化社会」から「高齢社会」に移行する。台湾については国連推計に含まれていないが、高齢化は韓国と同じスピードで進むとみてよい。ASEAN4や中国の高齢化は、まだ先の話ではあるが、その速度は日本と変わらない。出生率のまだ高いインドにおいても、現在のペースで出生率が低下すれば二七年という速いスピードとなる。ここでは、中位推計（上段）と低位推計（下段）を示したが、低位推計の方が、高齢化のスピードがさらに速くなることはいうまでもない。

表1－1　アジアの高齢化のスピード

（年）

	高齢化率7％	高齢化率14％	倍加年数
日本	1970	1994	24
韓国	1999	2017	18
	1999	2016	17
香港	1983	2014	31
	1983	2013	30
シンガポール	2000	2016	16
	2000	2016	16
中国	2001	2026	25
	2001	2024	23
タイ	2001	2023	22
	2001	2022	21
マレーシア	2019	2043	24
	2018	2037	19
インドネシア	2017	2037	20
	2016	2035	19
フィリピン	2028	2050	22
	2026	2044	18
ベトナム	2020	2038	18
	2019	2034	15
インド	2022	2049	27
	2020	2043	22

（注）上段：中位推計、下段：低位推計
台湾については国連推計に含まれていない
（出所）国連人口推計より作成

もはや先進国特有の問題ではない

世界全体の高齢化率は、二〇〇五年の七・三%から二〇二五年に一〇・五%、二〇五〇年には一六・二%へ上昇する。高齢化率は総じて先進国で高いが、開発途上国においても、二〇〇五年の五・五%から二〇二五年に八・六%、二〇五〇年には一四・七%へ上昇する。開発途上国の高齢化の状況を高齢人口の推移からみると、二〇〇五年の二億九一七一万人から二〇二五年に五億七七七一万人、二〇五〇年には一一億四四〇〇万人へ増加し、二〇〇〇～三〇年の増加率は年平均三・五%となる。

地域別にみると、高齢化率の上昇はアジアで顕著である。インドを除くアジアの高齢化率は、二〇〇五年には七・八%とほぼ世界平均の水準にあるが、二〇二五年に一三・八%、二〇五〇年には二三・一%へ急上昇する。インドを除くアジアの人口の世界に占める割合が、二〇〇五年の三〇・五%から二〇三〇年には二八・四%へ低下する一方で、高齢人口の占める割合は三二・一%から三五・一%へ上昇する。つまりアジアは、今後世界的にみて高齢化が最も速く進む地域となる。アジアは世界で最も高齢者の多く住む地域となり、二〇三〇年には高齢人口は欧州の二・五倍となる。

「はじめに」で示した、日本の高齢・人口減少社会の負の部分をアジアの活力を取り入れることで緩和しようという方向は正しい。経済のグローバル化が進展する現実のなか、国境に固執しない政策立案と実施が今後ますます必要となろう。

ただ、これまでみてきたように、少子化、高齢化は、もはや先進国特有の問題ではなく、アジアにおいては日本特有の問題ではない。とくにアジアで出生率の低下は急速であり、今後、急速に高齢社会に向かうことを軽視してはならない。したがって、日本の持続的発展のシナリオは、このようなアジアの人口構造の変化と整合的でなければならない。つまり、日本とアジアの関係は、日本がアジアの活力を取り入れるという一方向ではなく、アジアで進む高齢化に対して、支援そして協力するという方向でも努力が求められる。この点については第5章でもう一度考えてみたい。

第2章　経済発展を支えた人口ボーナス

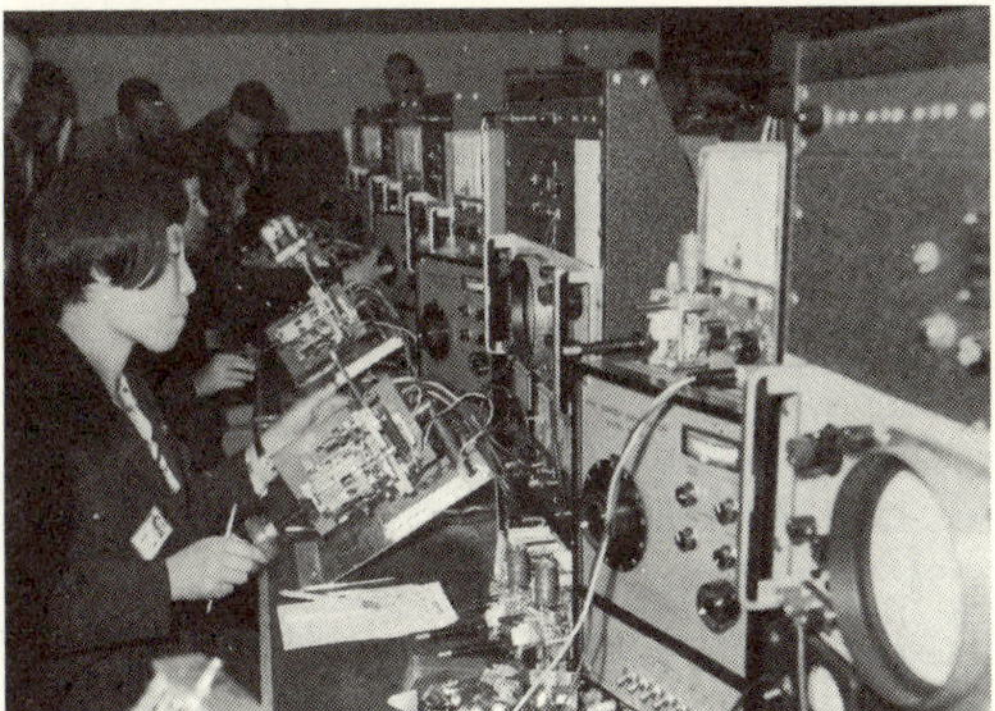

若い労働力を活用して急成長したアジア（韓国の電子部品メーカーで働く若者．1972年，©AP Photo）

1 「東アジアの奇跡」はなぜ生じたか

経済発展は結果か原因か

出生率の急低下は、将来の高齢化加速の原因となるが、アジアにおいては高成長を生み出す原動力ともなった。出生率の低下、すなわち少子化は、即座に高齢化に結びつくわけではない。そこにはタイムラグが存在する。この間、社会は若年人口が増えることで活気づき、経済は追い風を経験する。

実際に、出生率が大幅に低下した一九七〇年以降のアジアの経済成長は著しかった。一九七〇〜二〇〇〇年のアジアの年平均成長率は七%と、世界平均の三%をはるかに上回った。その結果、ＮＩＥＳの一人当たりＧＤＰは、すでに一万ドルを超えている。また、実質的な生活水準を示す購買力平価レートで換算した一人当たりの所得水準でみると、NIESは日本とほとんど遜色《そんしょく》がない水準になっている。たとえば、二〇〇四年の日本のそれが二万九八一〇ドルであったのに対し、韓国は二万五三〇ドルであり、香港は三万一五六〇ドルと日本よりも高い。アジアに広がる経済発展の波は、NIESからASEAN4や中国に拡大し、現在ではベトナム、インドを巻き込もうとしている。

アジア地域の成長は、長期間にわたって高い伸び率を維持してきただけでなく、相対的に公平な所得分配をともなったため、世界の注目を集めた。これに対し世界銀行は、日本、NIES、タイ、インドネシア、マレーシアを「高パフォーマンスアジア経済群（HPAEs：High-Performing Asian Economies）」と呼び、高成長を生み出した背景、とりわけ政府の役割を分析しようと試みた。その成果は、一九九三年に『東アジアの奇跡（*The East Asian Miracle*）』と題する報告書として発表されている。

同書では、東アジアの高成長は奇跡ではなく、政府が合理的な経済政策を採用したこと、政府が市場に対して選択的な介入を図り、それが貿易拡大や工業化を促進したこと、各国に経済発展や工業化を促す制度・組織（政治から距離を置いた官僚の存在や能力に基づく選抜主義、日本の産業構造審議会のような官民合同組織）が存在したことにより実現したとの見方を示した。市場の規制緩和こそが成長に不可欠とする新古典派経済学に対し、市場の機能を補完する政府の役割があるとし、それを具体的に記した点で画期的な報告書であった。九〇年代後半に、アジア諸国は通貨危機を経験し、いくつかの国では、それまでの経済政策の抜本的見直しを余儀なくされたが、七〇年以降アジアが先進国をキャッチアップする過程を包括的に捉えた点で同書は色あせておらず、今では、古典的な存在になりつつある。なかでも、政府の市場に対する役割を、市場の失敗に対する調整的な役割だけでなく、これをさらに進めて「選択的な介入」まで認めたことは、他の開発途上国の政策を評価する座標軸の一つとなっている。

本章では、このアジアの高成長を人口変化の観点から捉えなおしてみたい。これまでアジアにおける人口変化、たとえば出生率の低下については、経済発展の結果として捉えられることが多かった。この方向を反転して、つまり人口変化がアジアの高成長に及ぼした影響を考察する。高成長の人口的側面を把握することは、アジアの高齢化による経済への影響を考察する上でも有用であろう。

まず、人口変化が経済発展に及ぼす影響を、人口規模と人口構成の観点から整理する。次いで、最近注目を集めている人口ボーナスという考え方を紹介し、アジアの高成長が人口構成面からどのように支えられてきたかを、労働投入量、貯蓄率、生産性に分けて考察する。その後、日本、韓国と台湾、中国とタイの例を具体的にみる。

人口規模と経済発展

人口が経済発展に及ぼす影響は、人口規模に着目したものと、人口構成に着目したものに区分することができる。日本の例でいえば、前者は「人口減少社会」、後者は「少子高齢化社会」に相当する。

人口規模に着目したものとしては、人口規模そのものが国力を示すものとの考え方がある。一六世紀から一八世紀にかけて西ヨーロッパで支配的であった重商主義では「人は力なり」との視点から、出産や移民が奨励された。アジアにおいても、一〇億人以上の人口を有する中国やインドは、常に「大国」として捉えられてきたし、マレーシアでは、一九八〇年代半ばに人口を七〇〇〇万人に増やそうという人口増加策が掲げられたことがある。

また、アダム・スミスが説くように、経済発展には規模の経済や分業の進展、競争原理の導入が必要であり、これらを実現するためには一定の人口規模を必要とするという考え方もある。この観点から六〇〇〇万人という小さな人口規模しか持たないラオスは、人口増加率が高かったにもかかわらず、人口抑制策を積極的には講じてこなかった。

しかし、経済のグローバル化が進んでいる今日では、人口規模の小ささが必ずしも経済発展の制約要因になるとは限らない。実際に、シンガポールや香港は、国際分業において重要な位置を占めることで発展してきた。

人口規模の変化に着目したものとしては、人口増加が経済発展を阻害するとの悲観論がある。なかでも、前述した、人口増加が資源の枯渇を招くとするマルサスの『人口論』やローマクラブの『成長の限界』が有名である。

また、開発途上国の人口増加については、A・J・コールとE・M・フーバーが、『低開発国における人口増加と経済発展（*Population Growth and Economic Development in Low-Income Countries*）』（一九五八年）において、インドのような国では出生率を低下させないかぎり、経済発展は困難であろうと指摘した。またG・ミュルダールは『アジアのドラマ（*Asian Drama*）』（一九六八年）のなかで、南アジアにおける人口増加と貧困の悪循環を示し、産児制限の必要性を説いた。

開発経済学では、人口増加が経済発展を阻害するプロセスを「低水準均衡の罠《わな》」としてモデル化した。これは、人口増加に生産や所得の増加が追いつかないため、その国の所得水準が低いレベルで均衡せざるをえないことを示したモデルである。これらの認識に立って、開発途上国政府は家族計画に乗り出し、国際機関はこれを支援した。前述のように中国では「一人っ子政策」に踏み切る背景になった。

その一方で、先進国では人口減少に対する悲観的な見方がある。というのも、人口減少は、労働力人口の減少や貯蓄率の低下を引き起こし、経済は縮小を余儀なくされるからである。日本では、人口減少の負の効果に対処するために、少子化対策が講じられている。

これに対して、人口の増減についての楽観論もある。J・サイモンは人口増加の圧力が技術進歩を誘発する力を生み出すことに着目した。実際に、一九七〇年代、急速な人口増加が地球規模で食糧不足を招くと危惧されるなかで、「緑の革命」と呼ばれる高収量品種や化学肥料の開発は、人口増加を上回る穀物生産を可能にした。アジアの穀物生産量は、一九七〇年の四億九〇〇〇万トンから一九九〇年には八億七三〇〇万トンにほぼ倍増した。

他方、人口減少についても、労働力人口の減少により経済規模の縮小は避けられないものの、社会、企業、個人がそれぞれの生産性を高めることで、一人当たりの所得を伸ばすことができるという楽観論がある。

このような楽観論は、人間は問題に直面すると、これを克服する新しい技術を開発する能力を持つという、人類の英知に期待したものである。その観点では、人口の変化に対する楽観論というよりも、技術革新による生産性の向上が経済発展に寄与する、とみなす中立論と捉えた方がよいだろう。そのほか、人口の規模やその増減が経済に及ぼす影響の研究として、最適人口規模や最適人口増加率を見出そうとの試みもあったが、共通した見解は得られていない。

人口構成の変化

もうひとつ、人口構成の変化から人口と経済発展の関係を捉えようとする見方がある。人口構成は、それぞれの年齢別人口が経済活動にいかに関与するかの視点から、一般的に次の三つに区分される。

第一が十五〜六十四歳の人口で、「経済活動人口」あるいは「生産年齢人口」と呼ばれる(本書では生産年齢人口で統一する)。この年齢層こそが経済発展を推し進める原動力である。第二が〇〜十四歳の子供で「年少人口」、第三が六十五歳以上の高齢者で「高齢人口」である。

このうち、年少人口と高齢人口をあわせて「従属人口」、これに対し生産年齢人口を「独立人口」と呼ぶことがある。この従属人口と生産年齢人口の割合は社会の負担を示すものとして使われる。新聞でよくみかける高齢者を何人の現役世代が支えるのかという指標は、高齢人口を生産年齢人口(あるいは就業人口)で割った値である。また、従属人口を生産年齢人口で割った値を「従属人口指数」として用いることもある。

右の三つの区分は、必ずしも現実を反映していない。たとえば、高学歴化した国では、人々が社会に出るのは二十歳前後であり、年少人口の範囲が狭すぎる。また、六十五歳を超えても立派に経済活動をする人もいる。そこで近年では、六十五〜七十四歳を「前期高齢者」、七十五歳以上を「後期高齢者」と定義する場合も多い。人口構成が経済発展に及ぼす影響を詳細に議論する際には、これらの視点は重要であるが、ここでは、右の定義に基づいた「年少人口」「生産年齢人口」「高齢人口」の三つの区分を用いることにしたい。

このような人口構成からの視点は、前述の人口規模アプローチに比べ、問題のありかを把握するのに優れている。たとえば、開発途上国の人口増加が経済発展を阻害するという前出の「低水準均衡の罠」についても、年齢構成によって捉えなおすと、問題の所在をよりはっきりと見出すことができる。図2－1は、国連が低所得国とみなす国の人口ピラミッドであるが、年少人口が圧倒的に多いことは一目《いちもく》瞭然《りょうぜん》である。全人口の四二％に達する年少人口を抱える社会では、収入の多くが子供の養育費に回され、貯蓄どころではない。貯蓄のたまらない社会は、投

図2－1　低所得国の人口ピラミッド(2000年)

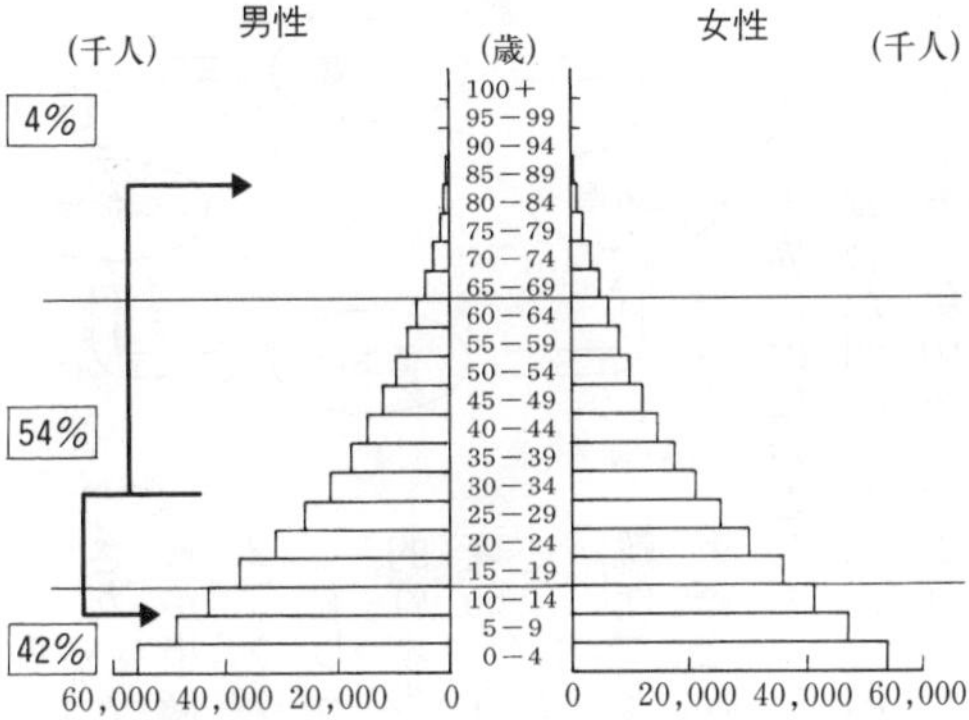

(出所) 国連人口推計より作成

図２－２　貧困の悪循環の概念図

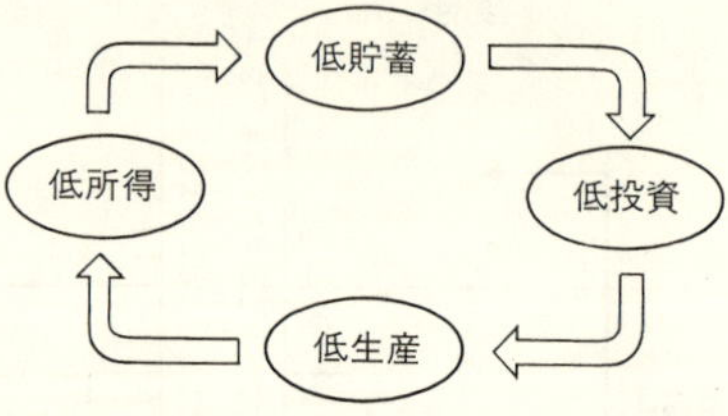

（出所）筆者作成

資も低水準にとどまらざるをえず、低い投資は低所得しか生み出さないという悪循環に陥る。これは、開発経済学者R・ヌルクセが指摘した「貧困の悪循環」と呼ばれるものである（図２－２）。

　もちろん経済発展は、貯蓄・投資に限られるものではない。人的資本の生産性も成長の源泉であることは開発途上国も先進国も変わらない。しかし、そのような貯蓄ができにくい社会においては、生産性の向上に寄与するような教育制度を構築することが困難なことはいうまでもない。

　ほとんどのアジア諸国は、この「貧困の悪循環」から脱したといえるが、世界には依然として年少人口の負担に悩まされる国は多い。二〇〇〇年の時点で年少人口の割合が四〇％を超える国は一九二カ国中六六カ国も存在する。そして、その約七割がアフリカに集中する。これらの国の一人当たりGDPは、一〇〇〇ドルにも満たず、その成長率（一九九〇～二〇〇〇年）は年平均〇・一五％ときわめて低い。人口増加率が高ければ、それだけ一人当たりの実質経済成長率を引き下げるから、これらの国においては、引き続き人口抑制が課題となる。

わが国で議論が高まっている高齢化問題も、人口構成が経済に及ぼす影響に着目したものにほかならない。高齢人口の全体に占める割合が上昇し、生産年齢人口の割合が低下する過程では、労働投入量は減少せざるをえない。また、高齢人口の割合の上昇は、高齢者の年金負担、医療負担を増加させ、その分国内貯蓄率を低下させる。高齢化負担を軽減するために少子化対策の効果に期待を寄せることが多いが、仮に今、出生率が大幅に改善しても、彼らが生産年齢に達するまでには一五年の歳月を要するため、高齢人口と年少人口とを合算した従属人口は増え続け、しばらくの間は社会の負担は増加し続ける。そこには、貧困の悪循環と同様に、貯蓄の低下が生産を抑制するという「停滞の悪循環」とも呼べる事態に陥る可能性がある。

このように人口構成からのアプローチは、人口規模からは見えなかった視点を提供する。わが国では、最近、「少子高齢化」と同じ文脈で「人口減少社会」を用いることがあるが、人口構成の変化を示す「少子高齢化」の方が、経済社会の抱える問題を明確に表現している。

さて、「年少人口」の割合が高い開発途上国と、「高齢人口」の割合が高い先進国の間に「生産年齢人口」の割合が高い社会が存在すると考えられる。そして、開発途上国と先進国の人口構成が経済発展にマイナスの効果をもたらすのに対し、生産年齢人口の割合が高い社会は経済発展にプラスの効果を与えると考えられる。これに該当するのが、出生率の低下に成功した開発途上国であり、とくにアジア地域であった。図2-3は二〇〇〇年時点の韓国の人口ピラミッドであるが、ベビーブーム世代を含む生産年齢人口が全体の七一・八%に達していることを示している。このような生産年齢人口の割合の高さが経済発展を後押しする作用は、「人口ボーナス」と呼ばれ、近年世界の注目を集めている。

図2-3　韓国の人口構成(2000年)

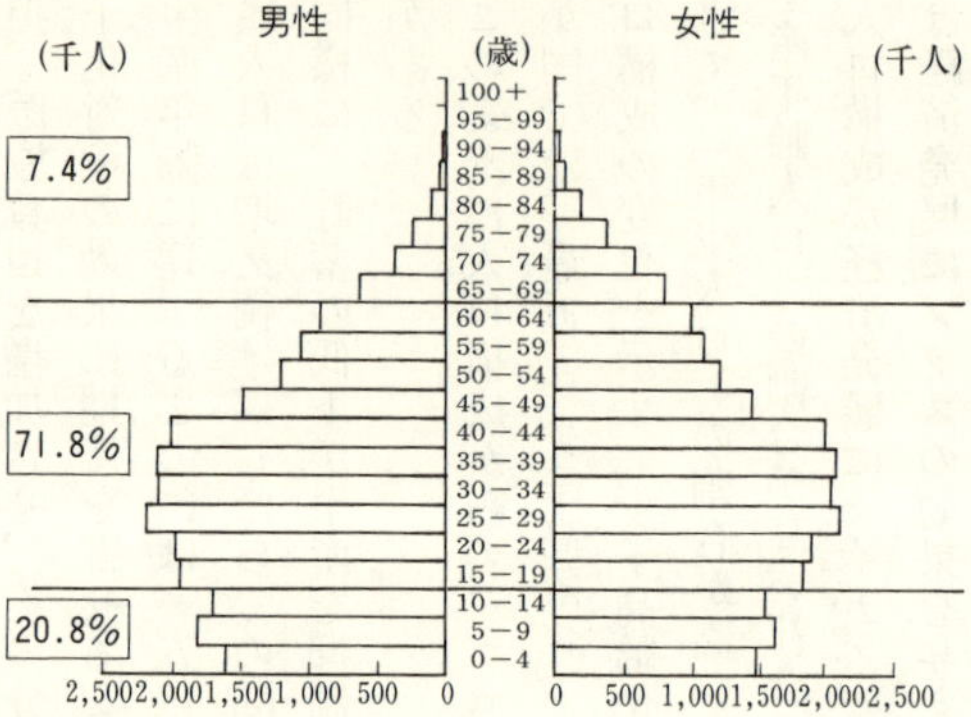

(出所) 国連人口推計より作成

2　人口ボーナスとは何か

ボーナスとしての経済発展

「人口ボーナス」という言葉は、一九九七年にA・メイソンが「人口とアジア経済の奇跡 (*Population and the Asian Economic Miracle*)」という論文で用いたのが最初である。この論文は、人口政策と経済発展に関するプロジェクトの成果を示したものである。メイソンは、所得を生み出す人口の割合の上昇が一人当たりの所得を増加させる事実に着目し、出生率の低下が生産年齢人口の急速な増加を通じて「人口ボーナス（demographic bonus）」をもたらすとした。そして、アジアがこの人口ボーナスを享受できたのは、各国政府が家族計画を推進した結果であり、人口抑制政策が経済発展を後押ししたと評価した。

翌一九九八年には、国連人口基金が『世界人口白書　一九九八』のなかで、次のように人口ボーナスを取り上げた。

現在の開発途上諸国における出生率の低下により、今後一五年から二〇年間にわたって「人口ボーナス」、すなわち生まれる子供の数が少ない一方で若い人々の労働力が膨張するという可能性が生じる。この層すべてに雇用が見つかるなら、「労働力の膨張（workforce bulge）」は、より大きな投資や労働生産性および急速な経済発展の基礎となりえる。ひいては、保健、教育、社会保障など社会投資に向けた国の歳入が増加し、老若双方のニーズが満たされ、将来の開発の基盤が確かなものになる。（四ページ）

ここでいう「労働力の膨張」そのものが労働生産性の改善につながるわけではないが、出生率の低下が経済発展を促進するという人口ボーナスの考え方は、開発途上国を見る上での新しい視点として世界中に広まった。

この人口ボーナスの考え方は、後にD・E・ブルームやJ・G・ウィリアムソンによってさらに理論化された。とくに一九九八年に発表された論文「新興アジアにおける人口転換と経済的奇跡（*Demographic Transitions and Economic Miracles in Emerging Asia*）」では、一九六〇〜九〇年のアジア経済を対象に、人口変数を用いた計量分析を行ない、その成長の三分の一が人口ボーナス（当時、彼らは「人口の贈り物〔demographic gifts〕」と表現した）によるものであるとした。また、人口ボーナス効果は必然的にもたらされるのではなく、むしろ東アジア諸国が、人口転換が生み出す潜在力を顕在化させるような社会・経済・政治制度を構築し、また諸政策が人口構成の変化に適していた結果であったと注意を促している。つまり、人口構成の変化に適した政策を実施した国のみに、経済発展が「ボーナス」としてもたらされるわけである。

その後、海外では人口ボーナスは「人口学的配当（Demographic Dividend）」として用いられる傾向にあるが、日本では、「人口ボーナス」という表現が定着しつつある。

ベビーブーム世代による労働投入量の増加

次に人口ボーナスの効果が、どのようなプロセスを経て経済発展を促進するのかについてみてみよう。ここでは長期成長のモデルである成長会計の考え方を用いる。

成長会計では、長期経済成長（Q）は、①労働投入量（L）、②機械・設備などの資本ストック（K）、そして③技術などの生産性の水準（T）の三要素によって説明される。式で書けば、図2-4のようになる。そして、人口ボーナスは、それぞれにプラスの効果を及ぼす。

以下、人口ボーナスの効果を、労働投入量、資本ストック、技術の水準の順にみてみよう。また、同時にこれらの要素が「東アジアの奇跡」をどのように支えたのかを概観したい。

図2-4　成長会計と人口ボーナスの効果

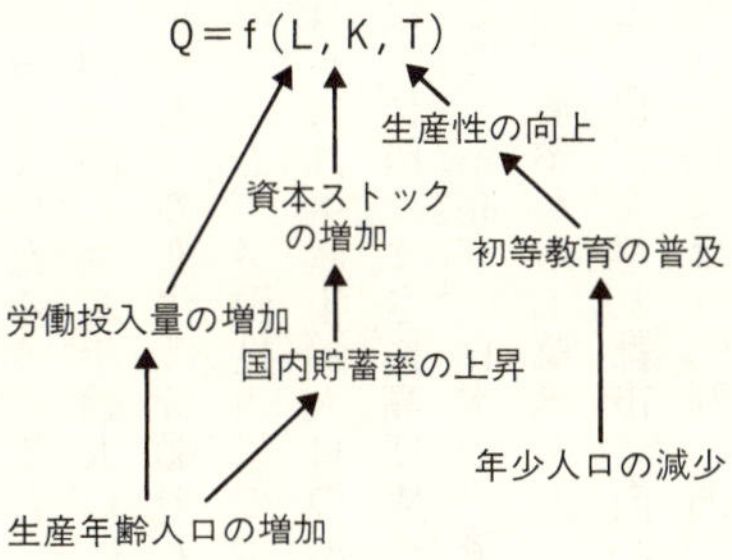

（出所）筆者作成

第一に、出生率が低下しても、しばらくは労働投入量は増加し続ける。

出生率が低下することによって、一国に占める年少人口の割合が低下する。他方、開発途上国では高齢人口の割合はまだ低いため、生産年齢人口の割合が上昇する。とくに出生率が急速に低下する直前にできたベビーブーム世代が労働市場に参入する時期に、労働力人口の増加率は最も高くなる。

労働投入量は、厳密には労働力人口と労働時間の積で示されるが、長期的には労働力人口のトレンドに影響を受けるとみてよいだろう。また、生産年齢に達した人口のすべてが労働に従事するわけではないが、同一国の生産年齢人口に対する労働力人口の割合（労働力率）の変化は少ないため、生産年齢人口の変化は労働力人口の変化とパラレルといえる。すなわち生産年齢人口の増加率が高いほど、労働投入量の増え方も高まると考えられる。

日本では生産年齢人口の増加率が最も高かったのは一九六〇〜六五年で年率二・二％であった。経済はまさに高度成長期に相当し、急増する労働力を吸収することで成長はさらに加速した。南亮進《みなみりょうしん》『日本の経済発展』（第三版、二〇〇二年）によれば、この時期に農村から都市へ、農業から工業への人口移動がみられ、とくに団塊の世代は中学校・高等学校を卒業すると、農村を離れ都市に向かった。全国の新卒者のうち第一次産業に就職した者の比率は、一九五〇年には五〇％であったが、一九六〇年には一〇％、一九六五年以降は五％となった。このように生産年齢人口の増加期は、それを吸収することによって工業化を加速することができる。

図2-5は、北東アジア、東南アジア、南・中央アジアの生産年齢人口の割合をみたものである。一九七〇年代から北東アジアの生産年齢人口が増加し、それを追うように東南アジア、南・中央アジアが増加に転じていることを示している。参考までにアフリカを示しておいたが、上昇に転じているものの、現時点ではその力は依然弱い。アジアとアフリカには人

口構成における潜在力に歴然とした違いがあったことがわかろう。また図は、北東アジアの生産年齢人口が近い将来ピークを迎え、低下局面に転じることを示す。

もちろん、生産年齢人口の増加は、労働投入量の増加には必ずしも結びつくわけではない。労働市場の整備、産業構造の発展段階、政府の政策などが強く影響する。つまり増える労働力人口を吸収できるか、また労働者に成長の果実を均等に配分できるか否かが課題になる。

図2－5　生産年齢人口の割合

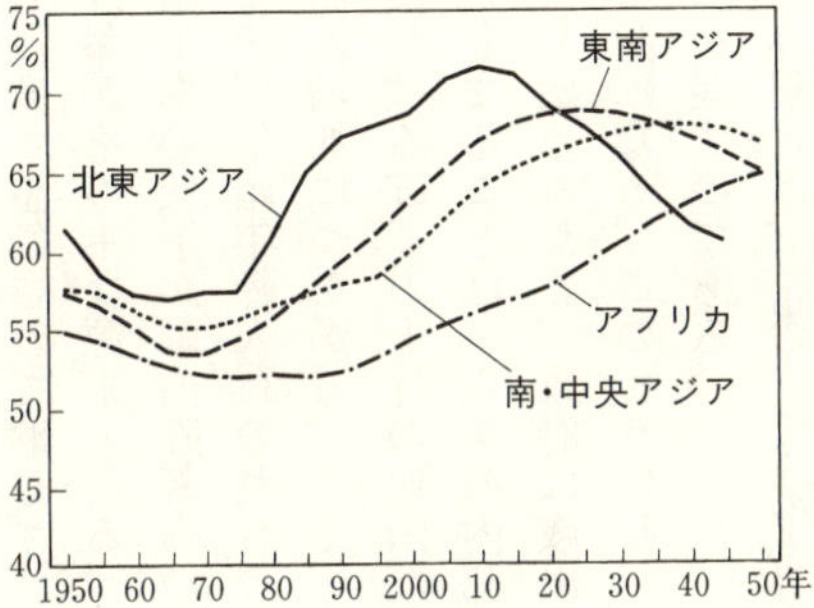

（出所）国連人口推計より作成

国内貯蓄率の上昇による投資の促進

第二は、貯蓄を媒介とする資本ストックへの効果である。資本ストックとは、機械、工場、港湾、電力、鉄道、道路など生産に寄与する投資の蓄積（資本蓄積）である。この資本蓄積が多いほど経済の成長潜在力も高い。そして資本蓄積は毎年の投資によって形成される。

投資には資金が必要である。開発途上国ではその資金をどこからどのように調達できるかがきわめて重要となる。経済のグローバル化が進展した現在では、必要な資金を海外から取り込むこともできる。しかし、外資受け入れ制度が整備されておらず、外資に魅力的なビジネスが少ない開発途上国においては、国内貯蓄がその主な源泉となる。そして国内貯蓄率が上昇すれば、投資の増加が可能になる。

出生率の低下が国内貯蓄率の上昇をもたらすプロセスは次のように考えられる。

まず、生産年齢人口の割合の上昇は所得を手にする人口比率を高めるため、社会全体の貯蓄額の増加につながる。また、出生率の低下は家計の子供の養育負担を減少させるため、家計における貯蓄の上昇の要因になる。さらに、労働力が豊富に存在するため、賃金が低水準にとどまることは、企業の内部留保（企業貯蓄）の確保につながる。また家計や企業が地力を持ち始めるため、政府は歳出を生活の補助的な支出からインフラ整備へと振り向けることが可能になる。このようにして国内貯蓄率の上昇は投資の増加につながり、資本ストックの増加を促すのである。

世界銀行は、『東アジアの奇跡』（白鳥正喜監訳、一九九四年）において以下のように記している。

一九六〇～九〇年にかけてＨＰＡＥｓでは他の途上地域に勝る勢いで貯蓄と投資の飛躍的な伸びが見られた。六五年のＨＰＡＥｓの貯蓄率はラテン・アメリカに比べ低いものであったが、九〇年まではラテン・アメリカのそれをおよそ二〇％ポイント上回った。また、投資率について見ると、六五年ではラテン・アメリカとほぼ同じ水準であったが、九〇年には東アジアの投資率はラテン・アメリカのほぼ二倍、南アジア、サハラ以南のアフリカのそれをはるかにしのぐものとなっている。(四三ページ)

図2-6　国内貯蓄率(対GDP比)

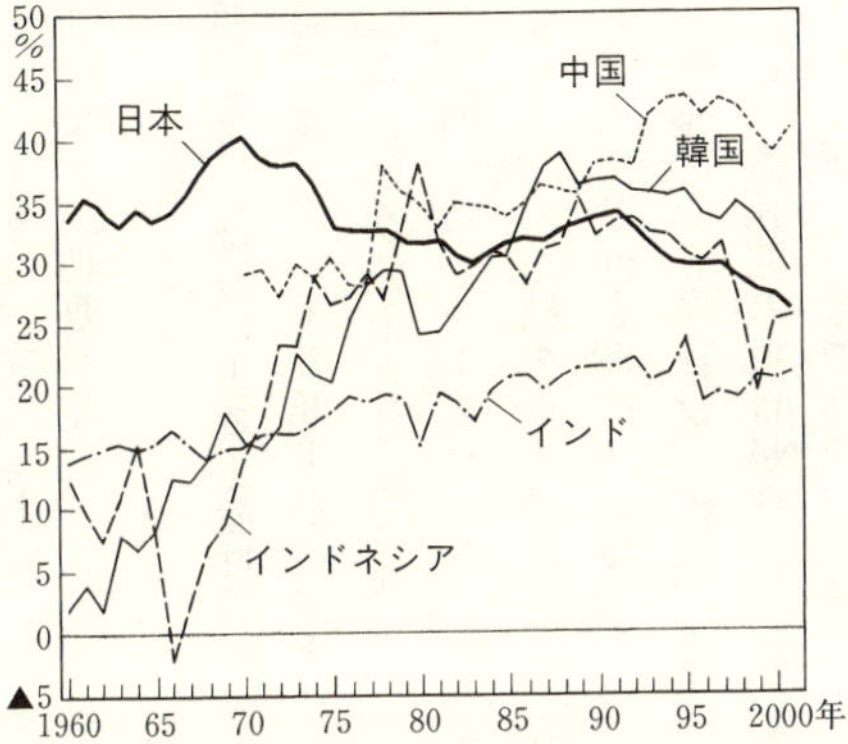

(出所) *World Development Indicators*

図2-6は、日本、韓国、中国、インドネシア、インドの国内貯蓄率の推移を示したものである。日本の貯蓄率は一九六〇年の時点ですでに高水準にあったが、韓国、インドネシアでは一九七〇年代以降急速に高まったことがわかる。中国でも上昇傾向が続き、二〇〇五年には名目GDPに対する国内貯蓄の比率は実に四七%にも達した(他の開発途上国では二〇%未満が多い)。この高い国内貯蓄が旺盛《おうせい》な投資の原資となり、高成長の原動力になったことは疑いない。

ただし、増加する国内貯蓄を効果的に生産活動に振り向けるには、効率的な金融制度が必要となる。

銀行をはじめとする金融機関の発展、その業務を支える法制整備、また安定的なマクロ経済の維持などが必要となる。

初等教育の普及による生産性の向上

第三は、出生率の低下が技術水準（生産性）を高めるプロセスである。

ここでいう技術とは広義なものであり、全要素生産性と呼ばれることが多い。「はじめに」で述べたクルーグマンの「まぼろしのアジア経済」は、アジアではこの全要素生産性の伸び、すなわち技術進歩の度合いが低いと指摘したものであった。

全要素生産性を構成する技術には、単に生産技術だけでなく、人材育成にかかわる教育制度、効率的な企業経営、港湾、電力、道路、水道などのインフラ、法律・制度などの整備状況など、広範囲の項目が含まれている。

技術は個人だけでなく、企業や社会全体が所有できるものであるが、ここでは、個人の労働生産性を高めるプロセスに注目しておこう。

世界銀行の『東アジアの奇跡』は、アジアが高成長を実現した要因の一つとして初等教育の普及を挙げており、それが実現した背景として、「高出生率から低出生率への急速な移行は、家族および教室で子供一人が潜在的に享受できる教育資源を増加させた」としている。

　また、その効果を実現したのは、ＨＰＡＥｓの各国政府が初等教育や中等教育に重点を置いたことに起因する。

　表２－１は、アジア諸国の教育水準の推移をみたものである。ＮＩＥＳにおいては一九七〇年以前に初等教育の就学率が一〇〇％に達し、一九八〇～二〇〇〇年にかけて中等教育の

表2-1　アジアの就学率

(単位：%)

	初等教育			
	1970	1980	1990	2000
日本	99.5	101.2	99.9	100.8
NIES				
韓国	102.9	110.5	105.3	101.5
台湾	98.0	99.7	99.9	99.9
香港	114.7	105.7	103.0	
シンガポール	101.2	106.1	102.3	
中国		103.7	120.3	
ASEAN5				
タイ	77.3	97.4	98.1	92.7
マレーシア	83.4	92.0	93.6	98.9
インドネシア	72.7	99.7	113.6	108.8
フィリピン		109.9	109.3	112.5
ベトナム		106.1	99.9	102.2
インド	60.5	67.1	83.6	

	中等教育			
	1970	1980	1990	2000
日本	86.6	93.2	97.1	102.5
NIES				
韓国	41.6	78.1	89.8	94.1
台湾	76.1	96.8	99.6	99.9
香港	35.8	64.1	79.6	
シンガポール	46.0	59.9	68.1	
中国	24.3	45.9	48.7	
ASEAN5				
タイ	17.4	28.8	30.1	81.9
マレーシア	34.2	47.7	56.3	70.3
インドネシア	16.1	29.0	44.0	57.0
フィリピン	45.8	64.2	73.2	77.3
ベトナム		42.0	32.0	67.1
インド	24.2	29.9	44.4	

(出所) *World Development Indicators, ADB Key Indicators*

就学率がほぼ一〇〇%となった。ASEAN4とベトナムでは一九七〇~八〇年代に初等教育就学率がほぼ一〇〇%に達し、一九九〇年以降中等教育の就学率が急上昇している。

教育と同様に、出生率の低下にともない一人当たりの医療・衛生サービスが増加することで、労働者の健康状態が改善されたことも労働生産性の上昇につながったと考えられる。このような基礎教育の充実と健全な労働者の存在は、「豊富で勤勉な労働力のあるアジア」を創り出し、八〇年以降、日本企業を含め外資企業の進出先として関心を惹《ひ》くこととなった。そして、外国企業の進出は、先進国の生産技術や経営技術などの現地への移転をもたらし、受入国の生産性向上に寄与した。

また、国内貯蓄率が上昇することにより投資の内容が多様化したことも技術水準を高めるよう作用する。経済発展にともない、投資は建設や設備機械へのものだけでなく、研究開発に資金が投入されるからである。

しかし、人口ボーナスの効果を最大化するためには、初等・中等教育の整備だけでは十分ではない。年々厳しくなる国際競争のなかで、成長を維持させるような高等教育のカリキュラムの充実、企業の研究開発の促進などへの政策転換が必要である。

人口ボーナスはいつまで続くのか

アジア諸国が人口ボーナスを享受できたとして、その効果はいつまで続くのか。アジアの成長を展望する上で、人口ボーナスの効果が、いつ発生し、その効果がいつまで続くのかという問いに答えなければならない。

人口ボーナスは新しい枠組みであり、その存続期間について確定した見解はない。たとえば、人口ボーナスの始点についても、生産年齢人口の割合が六〇％を上回った時点とみなすものや、生産年齢人口の増加率が従属人口の増加率を上回った時点とするものなどさまざまである。

ここでは、人口ボーナスの考え方として生産年齢人口の割合の変化に着目し、その割合が上昇に転じた時点を「始点」とし、その割合が減少に向かった時点を「終点」とする。これは、生産年齢人口の増加率が人口増加率を上回った時点から次に下回る時点までの期間に一致する。これに基づいて、アジアの人口ボーナスの期間を示すと次ページの表2－2のようになる。

日本の人口ボーナスは一九三〇～三五年に始まり、アジアで最も早い。その他のアジアでは、一九六〇～七五年に始まっている。所得水準が異なるのにもかかわらず、ほとんど同時期に人口ボーナスが始まっているのは、所得水準に関係なくアジア全域で出生率の低下がほぼ同時に起こったからである。

表2－2　人口ボーナスの期間

	人口ボーナスの期間(年)		一人当たり GDP
	始点	終点	2005年(ドル)
日本	1930－35	1990－95	36, 432
NIES			
韓国	1965－70	2010－15	16, 304
台湾	1960－65	2010－15	15, 271
香港	1965－70	2010－15	25, 617
シンガポール	1965－70	2010－15	26, 843
中国	1965－70	2010－15	1, 728
ASEAN 5			
タイ	1965－70	2010－15	2, 728
マレーシア	1965－70	2035－40	5, 014
インドネシア	1970－75	2025－30	1, 242
フィリピン	1965－70	2040－45	1, 142
ベトナム	1970－75	2020－25	627
インド	1970－75	2035－40	725

（出所）国連人口推計、IMF 統計、台湾統計局より作成

他方、人口ボーナスの終点をみると、日本が一九九〇～九五年と最も早い。NIESと中国、タイは二〇一〇～一五年に終わる。その他のASEAN諸国とインドでは二〇二五～四五年である。これは出生率の低下スピードに依存する。中国、タイでは低所得段階で出生率の低下が始まったため人口ボーナスの期間はNIESと変わらない。いずれにせよ、日本を除くアジア諸国は人口ボーナスを享受できる真っ只中《まただなか》にある。

他方、NIESでは、高齢化が経済に及ぼす影響について議論されるようになっている。その水準は先進国のレベルに達しており、日本と同様の問題を抱え始めたといえよう。しかし、それに続く中国、タイの

所得水準は、これらに遠く及ばず、人口ボーナスの終焉《しゅうえん》が先進国へのキャッチアップを阻害する可能性がある。その他の地域においても、所得水準が低いうちに人口ボーナスの期間が終わるものと予想される。

3　アジア各国は人口ボーナスの効果を享受できたか

人口ボーナス効果の変化

人口ボーナスの期間は、開発途上国にとって先進国に追いつくためのよいチャンスであり、将来やってくる高齢社会に対する準備期間といえる。つまり開発途上国は、その効果を十二分に吸収し、豊かな高齢社会を実現するための経済社会的基盤を構築しておく必要がある。しかし、人口ボーナスの効果は、制度や政策が人口構成の変化に対応できた場合にだけ享受できる。前述のようにアジアの高成長は、人口構成の変化の影響を多分に受けているが、その効果は国によって異なる。次にいくつかの国を対象に、人口ボーナスの効果の違いについてみてみたい。

人口ボーナスの効果を享受するには、どのような政策が必要であろうか。

人口ボーナスの効果は時間とともに変化する。人口ボーナスの前半においては、生産年齢人口の増加にともなう労働投入量の増大が成長を牽引する。しかし国内貯蓄率は低く、教育水準もまだ低い。他方、人口ボーナスの後半には、生産年齢人口の増加率は低下に向かうが、国内貯蓄率が上昇し、教育水準も高まる。つまり、人口ボーナスの効果を享受するには、時間の変化に適した政策を実施することが必要となる。

人口ボーナスの効果と、それに対応した産業構造の特徴の大枠を描いてみれば図2－7のようになろう。人口ボーナスの前半では、生産年齢人口の増加を十分に吸収するような政策と産業の発展が成長の鍵となる。つまり繊維・衣料や食品加工など労働集約型産業の育成が政策として要請されるし、同時に期待できる時期といえる。ただし、国内貯蓄率がまだ低水準にあるため、そのような産業の育成を促す資金源をいかに確保するかも重要になる。

他方、人口ボーナスの後半は、国内貯蓄率が上昇し、高水準に達する可能性があるため、その資金を効果的に活用する政策を通じて、鉄鋼、石油化学などの資本集約型産業の発展が要請される。そのためには、国内貯蓄を効果的に配分する金融機関や金融制度の発達が重要な鍵を握る。

そして期間全般にわたって政府、企業、個人のレベルでの技術向上への不断の努力が、人口ボーナスの効果を高める。政府には、所得水準の上昇にあわせて、初等教育から中等教育、さらには高等教育へと国全体の教育水準を高めることが求められ、企業には独自の技術革新への研究開発が要請される。技術水準が高まれば、人口ボーナスの後半には、自動車や電子電機などのハイテク産業の成長が期待できる。知識集約型産業の育成や産業のサービス化・高付加価値化は、人口ボーナス後に訪れる高齢社会において持続的な成長を維持するための基盤となる。これらの政策は、「人口ボーナスに親和的（フレンドリー）な政策」ということができるかもしれない。

図2-7　人口ボーナスの効果の概念図

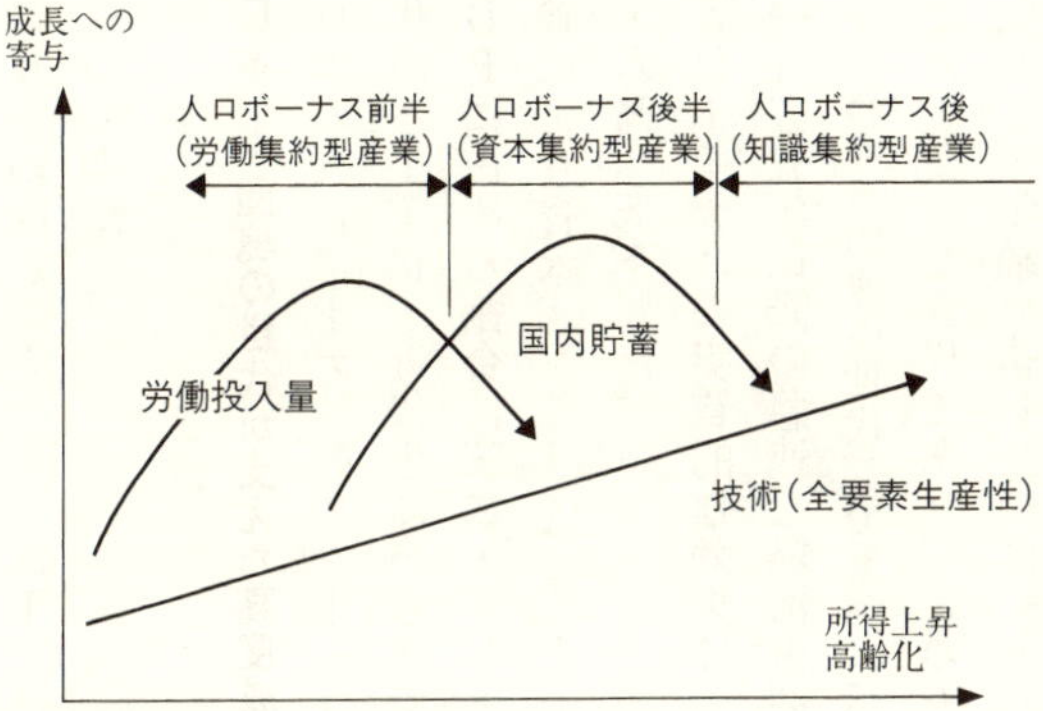

（出所）筆者作成

また、政策の効果を高めるためには、人口ボーナスが始まる時点の各国の置かれた状況（初期条件）にも目を向ける必要がある。初期条件には一人当たりの所得水準、産業構成比、就業構造、教育制度や衛生環境、電力・道路・港湾などのインフラ整備の状況などが含まれる。これらの初期条件が良好な国ほど人口ボーナスの効果も高い。

他方、開発段階の低いうちに人口ボーナスが始まる国においては、初期条件の不利を補うような何らかの政策が必要となる。

これらの観点に立って、以下では、日本、韓国と台湾、中国とタイの経済発展について振り返ってみたい。

日本——団塊の世代が支えた高度成長期

日本の人口ボーナスのスタートは一九三〇～三五年と、アジアで最も早い。日本は、明治時代から工業化・近代化にいち早く取り組んできたため、三五年の時点で、すでに鉱工業のGDPに占める割合は三二・四%と高水準にあった。ただし、その後に勃発《ぼっぱつ》した第二次世界大戦により資本ストックはほとんど壊滅状態に陥り、鉱工業のGDP比率は五五年には一二・六%へ低下した。

人口ボーナスの実質的な効果は、戦後の高度成長と工業復興の形となって現れた。一九五五年以降の急速な経済復興は高度成長と呼ばれるが、この担い手はベビーブーム世代(いわゆる団塊の世代)であった。団塊の世代の核は、一九四七年(昭和二十二年)から四九年に生まれた世代であり、この三年間の合計特殊出生率は四・〇を超えた。これら団塊の世代が生産年齢に達したのは一九六〇～六五年であり、この期間の生産年齢人口の増加率は年平均二・二%に及んだ。団塊の世代の労働市場参入により、農村から都市への人口移動、農業から工業への労働力人口の移動がみられた。

この豊富な労働力を吸収することにより、鉱工業比率は一九六〇年の一七・一%から一九七〇年には二五・二%に回復した。これに建設業と運輸・通信・公益事業を加えると、三七・〇%から四七・五%に上昇した。この一〇年間の実質成長率は九・三%という高水準になった。

ただし、日本が他のアジア諸国と異なる点は、大正時代においてすでに労働集約型産業が発展していたため、団塊の世代が労働力人口に参入する時点で、すでに産業の主役が資本集約型産業へと移り変わろうとしていたことである。また、日本の国内貯蓄率がGDP比で三〇%と高水準にあったことは、鉄鋼、石炭、肥料、造船などの重工業部門に優先的に資源配分を行なう「傾斜生産方式」を資金面で支えた。さらに、団塊の世代の教育水準が高かったことも好要因になった。団塊の世代の高校進学率は六割、大学進学率も二割を超えていた。このような高い貯蓄率と高い教育水準を背景に、日本は人口ボーナスの中期において、技術水準の高い資本集約型産業を発展させることができた。

その後、一九七〇年代の経済成長率は三・三%と、六〇年代の高い成長率と比べて大幅に減速した。この理由としては、石油ショック（一九七三年、七九年）などの国際環境の変化によるところが大きいが、人口ボーナスの観点からいえば、日本は中休みを経験したといえる。この一〇年は団塊世代ジュニアの誕生期であり、年少人口の割合が上昇し、生産年齢人口の割合が低下するという、日本特有の人口変動がみられた。国内貯蓄率をみても、この一〇年間の水準は前後の一〇年間に比べて低い（図2-8）。

一九八〇年代に入ると生産年齢人口の割合が再び上昇に向かった。そのなかで、産業構造は、技術水準の向上を背景にハイテク化し、産業の主役は製造業からサービス業へと移り変わっていった（図2-9）。製造業比率は、一九七〇年の四五・〇%から九〇年は三九・二%に低下し、就業人口比率も二七・〇%から二四・一%へ低下した。他方、サービス部門比率は、五〇・〇%から五八・三%へ、同就業人口比率は五六・八%から六九・五%へ急上昇した。

一九七〇年代に低下した国内貯蓄率も、八三年の二九・九%から九二年には三四%へと上昇した。金融資産は空前の高まりをみせ、これにともない株価や不動産価格が急騰《きゅうとう》し、日本は「バブル経済」に突入した。一九八〇年代後半には一人当たりGDPで米国を追い抜き、日本は経済大国となった。ただし、人口ボーナス後半の国内貯蓄率の上昇という効果を、日本が十分に生かしきれたかどうかについては疑問が残る。ちなみに一九八〇年代の成長率は三・五%であった。

日本の人口ボーナスは一九九〇〜九五年に終了し、一九九〇年代の経済成長率は年平均一・一%と低水準にとどまった。この一〇年はバブル崩壊後の「失われた一〇年」といわれてきたが、生産年齢人口は減少に向かい、国内貯蓄率も一九九〇年の三三・七%から二〇〇〇年には二七・四%に低下するなど、人口ボーナスの効果が失われた時期でもある。そして九〇年代半ば頃から、高齢者の生活を支える医療・年金負担の増大が火急の課題として取り上げられるようになった。

図2－8　生産年齢人口、国内貯蓄率、成長率（日本）

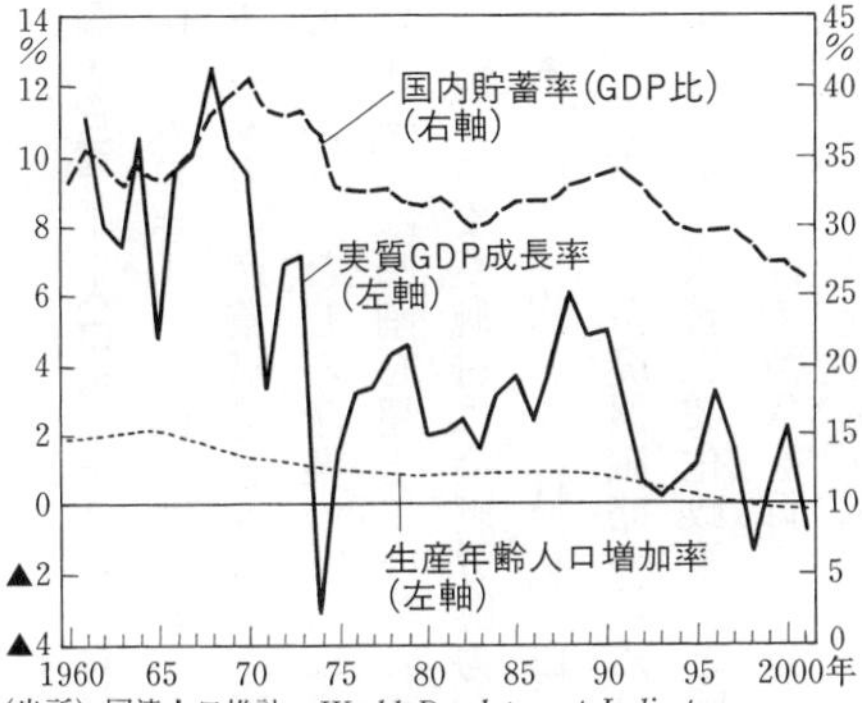

（出所）国連人口推計、*World Development Indicators*

図2－9　産業別就業人口比率（日本）

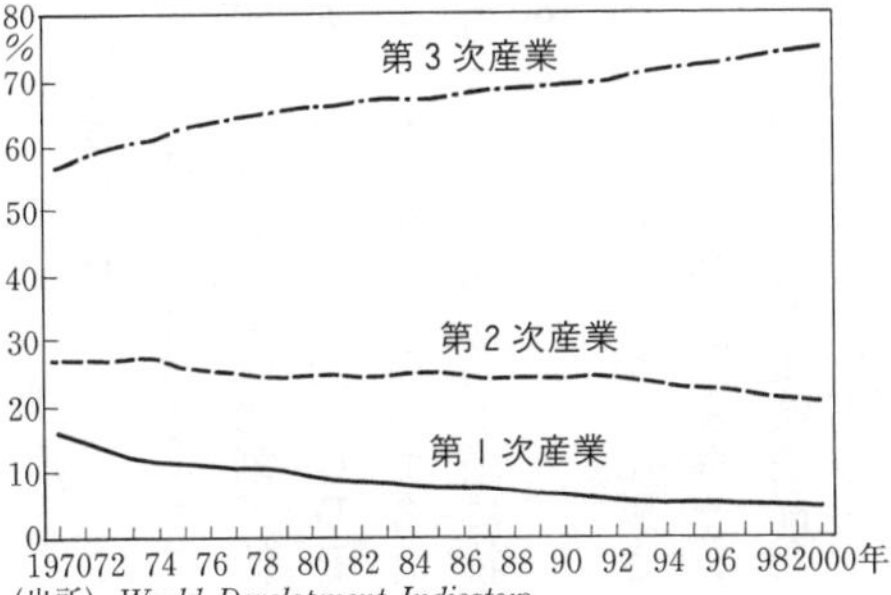

（出所）*World Development Indicators*

韓国・台湾――人口ボーナスにフレンドリーな政策を展開

韓国の人口ボーナスは一九六五〜七〇年に、台湾は一九六〇〜六五年にスタートした。その時点の双方の産業構造をみると、工業部門のGDP比率は二割、就業人口比率でも一〜二割程度であり、むしろ産業の重心は農業にあった。農業部門のGDP比率は三割を超え、就業人口比率では四割を超えていた。また、一九六〇年代初頭まで合計特殊出生率は六前後と高かった。つまり農村に余剰労働力を抱えるという、開発途上国に特有の問題を抱えていたといえる（図2-10、2-11、2-12、2-13）。

戦後、双方の経済発展戦略の重点は、国内の工業化をいかに始動させるかに置かれた。この政策は「輸入代替工業化政策」と呼ばれるもので、高い関税率や数量制限、為替政策を通じて外国工業製品の流入を抑え、自国の市場を対象とした工業製品を国内で生産するという政策である。これにより工業比率は、韓国では一九六〇年の一三・八％から七〇年には二九・五％へ上昇し、台湾でも五五年の二一・六％から六五年には二八・六％へ上昇した。しかし、工業部門の就業人口比率は、韓国では一九七〇年に一四・三％、台湾においても二〇・九％と低かった。

輸入代替工業化に海外からの資金支援が果たした役割は大きい。当時の韓国と台湾の国内貯蓄率をみると、韓国は一九七〇年代に入るまで、台湾では一九六五年頃までは、GDP比で二〇％にも達しなかった。しかし韓国、台湾ともに、米国からの巨額な援助と日本からの多額の円借款を受け入れることで、インフラ整備など公共投資の負担を軽減し、貯蓄率が低いという人口ボーナス前半の初期条件の不利を克服することができた。

図2-10　生産年齢人口、国内貯蓄率、成長率（韓国）

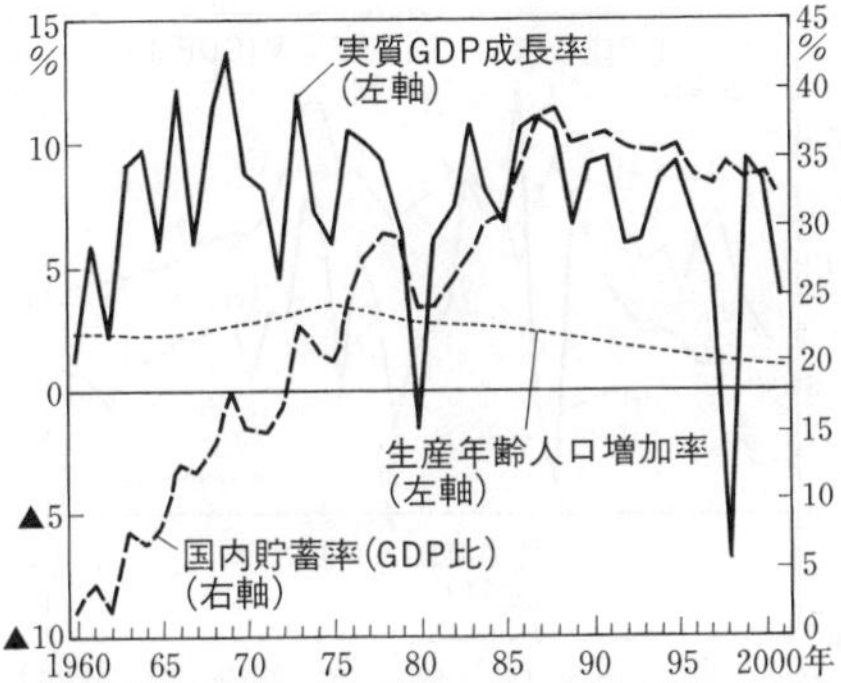

（出所）国連人口推計、*World Development Indicators*

図2-11　産業別就業人口比率（韓国）

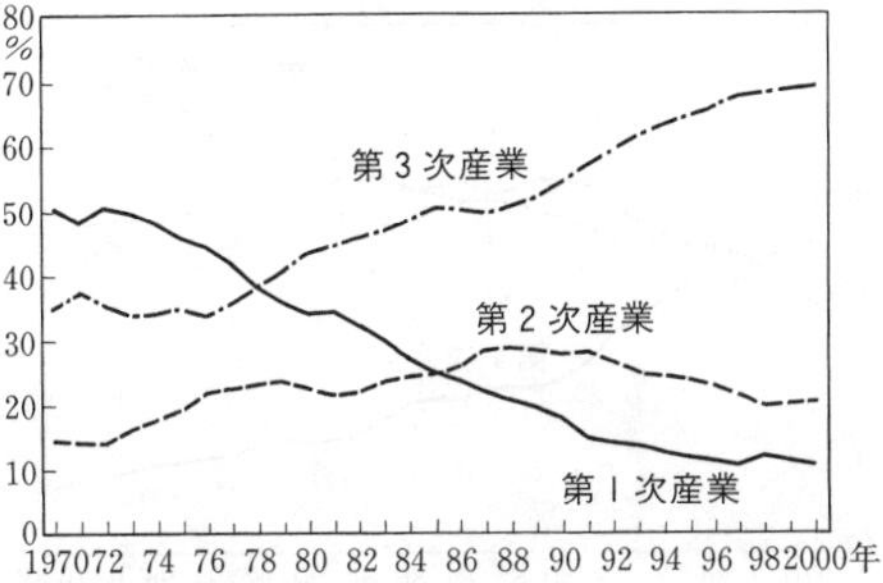

（出所）*World Development Indicators*

図 2-12　生産年齢人口、国内貯蓄率、成長率（台湾）

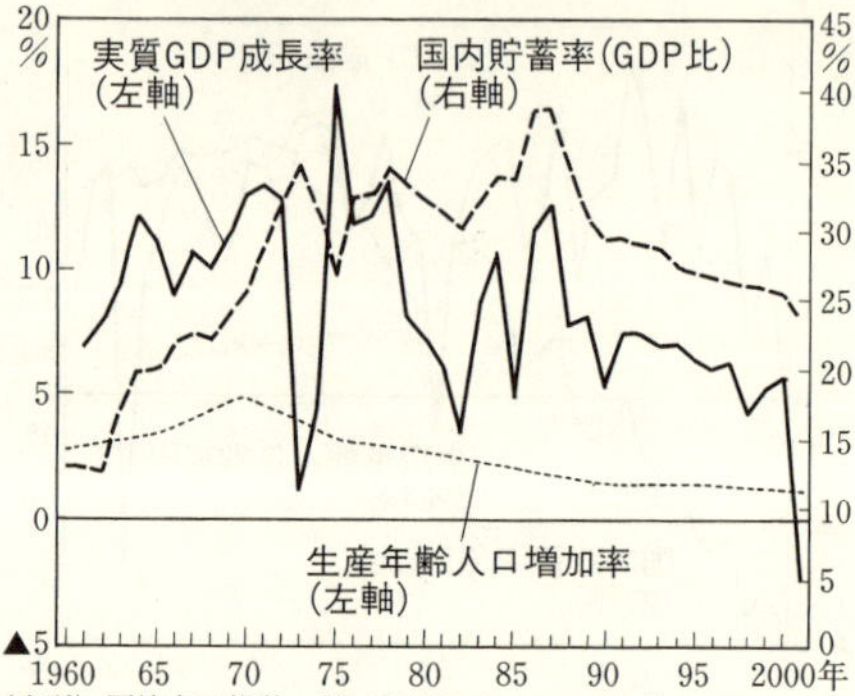

（出所）国連人口推計、*World Development Indicators*

図 2-13　産業別就業人口比率（台湾）

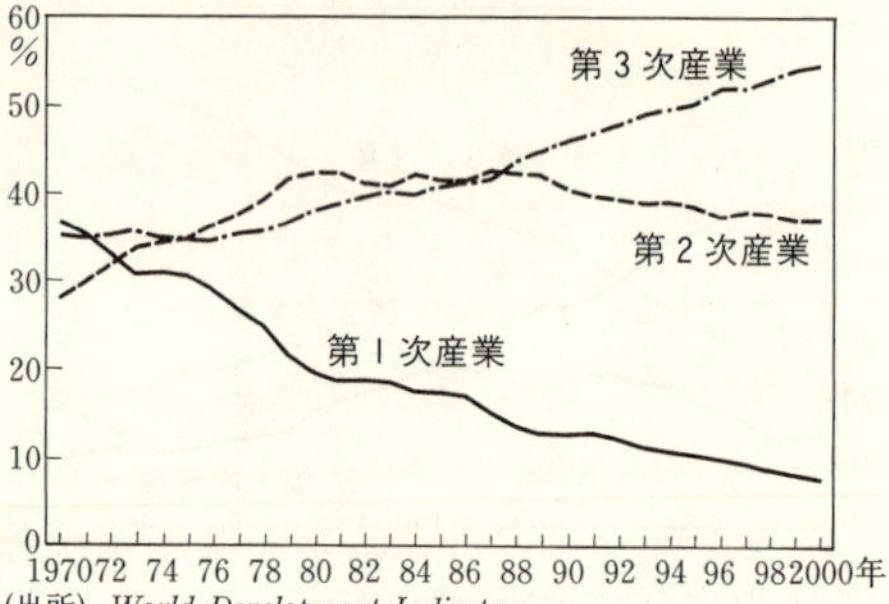

（出所）*World Development Indicators*

戦後に形成されたベビーブーム世代が労働市場に参入してくると、過剰労働力の存在が経済社会問題となった。輸入代替工業化では雇用吸収が十分でないことに加え、国際収支が悪化したため、両政府は工業製品を海外市場へと仕向ける「輸出志向工業化」へと政策を転換した。結果的には、これが余剰労働力の吸収に寄与した。

韓国では輸出を促進するために、輸出を行なう企業を競わせ、パフォーマンスのよい企業に対して優先的に低利融資を行なうという政策が講じられた。これは「コンテスト・ベースの競争」と呼ばれる。また、それまで韓国は外資企業に門戸を固く閉じてきたが、輸出を目的とすることを条件に、外資企業の進出を認めた。この政策転換を受けて日本企業を中心とする外資企業が韓国に相次いで進出した。目的は安価な労働力の活用であり、労働集約的な製品の生産であった。そして、その担い手となったのがベビーブーム世代であったのはいうまでもない。

とくに繊維・衣服、履物などの労働集約的な製品を中心に輸出は急上昇した。韓国の輸出は、一九七〇年の一二億ドルから八〇年には二〇四億ドルと、一〇年間に約二〇倍という驚異的な伸びを記録した。この輸出拡大をテコに一九七〇〜八〇年の韓国の成長率は、年平均七・三％と高水準に達した。これは「漢江《ハンガン》の奇跡」とも呼ばれた。

この輸出志向政策が、国内の雇用拡大に果たした役割は、渡辺利夫『成長のアジア　停滞のアジア』（一九八五年）に以下のように述べられている。

製造業品輸出が直接的に吸収した雇用数と、製造業品輸出が当該経済の産業連関関係を通じて他の補助・関連産業において間接的に発生させた雇用数との合計数は、この二〇年間にきわだった増加をみせた。合計数の製造業雇用総数に占める比率は、一九七五年と八〇年の両年において、七二％、六八％に達した。（一二六ページ）

台湾では、一九六五年に「加工出口区設置管理条例」が公布され、これに基づき六六年には「高尾加工出口区」が設置された。加工出口区というのは、一〇〇％輸出を条件に外資企業の台湾進出を認める地域のことである。当該企業には税制面の優遇、労働者の斡旋《あっせん》、インフラ設備の供給などが適用された。これは後に「輸出加工区」として開発途上国における工業化の重要な戦略の一つとなった。これにより輸出は、繊維・衣服、履物を中心に一九六五年の四億五〇〇〇万ドルから一九七五年には五三億九〇〇〇万ドルへと急増した。また、一九六五〜七五年の成長率も年率一〇％を超えた。

一九七九年にOECD（経済協力開発機構）は、韓国、台湾を香港、シンガポール、ブラジル、メキシコ、スペイン、ポルトガルなどとともに「新興工業国（NICS：Newly Industrializing Countries）」と名付けた。その後、一九八〇年代に入ると、南米諸国が輸入代替工業化の過程で債務危機に陥ったのに対し、アジアNICSは輸出志向政策を通じて高成長を維持したことが評価され、「外向きの政策（輸出強化）」こそが、開発途上国が先進国にキャッチアップする手段であるとの見方が支配的になった。一九八八年にNICSは「新興工業経済群（NIES：Newly Industrializing Economies）」に名称を変え、主に韓国、台湾、香港、シンガポールに用いられるようになった。

韓国、台湾の経済発展の経験をまとめると、人口ボーナスの前半期に位置する開発途上国は、労働集約型産業が成長するのに適した環境を有しているといえる。しかし、それを吸収するような工業化促進のための投資には国内貯蓄だけでは不十分であり、海外からの資金の受け入れが重要な役割を果たした。また、狭い国内市場を補うためには海外市場への参入が有効であり、外資企業誘致による技術移転、市場確保などが有効な手段となった。もちろん、韓国と台湾の政府が初等教育の普及に注力し、輸出企業の活動を促進する政策や、インフラ整備を優先的に行なったことも軽視できない。いずれにせよ、韓国、台湾は、初期条件の不利を独自の政策によって克服してきたといえる。

人口ボーナスの後半期は国内貯蓄率の上昇が見込める時期であり、実際に韓国では一九七五年の二〇・二％から八八年には三八・八％へ、台湾では一九七〇年の二五・六％から八七年には三八・五％へと大幅に上昇した。この貯蓄率の上昇は韓国、台湾が重工業化を進める際の資金源となった。

韓国では、七三年から、鉄鋼、造船、電子電機、機械、非鉄金属、石油化学の六分野を戦略産業とする重化学工業育成計画がスタートした。政府は、七四年には国民投資基金（NI

F）を設立し、重化学工業のための長期資金融資制度を整備した。この結果、工業の付加価値に占める重化学工業の割合は、一九八二年の五一・四％から一九九六年には七三・一％へ上昇した。八〇年代半ばには、自動車、半導体やコンピューターなどのハイテク産業を含む「二〇大戦略産業」育成計画が始まった。資本集約型産業の発展を背景に一九七五～九〇年の成長率は八・一％と、引き続き高成長を維持した。

台湾でも七三年の第六次四ヵ年計画のなかで重化学工業の発展が重視され、同時に「十大建設」と呼ばれる重化学工業を支える七つのインフラ建設と三つの産業（石油、鉄鋼、造船）への投資をスタートさせた。この政策は第二次輸入代替政策と位置づけられることもあるが、造船などでは失敗に終わった。むしろ、台湾では中小企業による機械産業や電子産業が資本集約型産業の担い手となった。それでも重化学工業比率は一九八二年の五一・八％から一九九六年には七二・一％へ上昇した。一九七五～九〇年の成長率は年率八・八％となった。

八〇年代後半は、韓国ウォン、台湾ドルが米ドルに対して割高になり、かつ国内の賃金水準が急上昇したことで、労働集約型産業の競争力は急速に低下した。これに対し、韓国、台湾の企業は、安価な労働力を求め東南アジアや中国へ生産拠点を移す動きを加速させた。また、国内貯蓄率が上昇したこととあいまって、共に投資受入国から投資国へと変化した。国際収支上の外国直接投資の流出入額では、韓国では九〇年から、台湾では八八年から出超に転じた。

九〇年代に入ると、産業構造の主体は第二次産業から第三次産業へとシフトしてきた。韓国においては、第三次産業の比率は九〇年の四七・四%から二〇〇〇年に五一・六%へ上昇し、就業人口比率も五四・五%から六九・〇%へ上昇した。台湾の第三次産業比率も五四・六%から六五・四%へ、就業人口比率も四六・四%から五五・〇%へと上昇した。一九九〇〜二〇〇〇年の年平均成長率は、韓国が六・一%、台湾が六・三%となった。

就業人口の観点から韓国、台湾の人口ボーナスを振り返ると、その前半期では第一次産業から第二次産業への転換がみられ、後半期においては第二次産業から第三次産業への転換が続くというように、二つの就業構造の転換を経験している。

韓国・台湾は、人口ボーナスに親和的な政策を実施することで、現在では日本と比べて遜色のない所得水準を実現した。今後もこの勢いを持続し、日本に追いつき、さらに追い抜くかどうかが注目されるが、人口ボーナスは二〇一五年頃に終わると予想され、日本と同様に高齢化の影響が徐々に出始めている。韓国、台湾ともに高齢化率は一〇%を超え、二〇〇〇〜〇四年の成長率も韓国が四・六%、台湾が二・六%と減速している。近年、韓国でも台湾でも、高齢化負担をどのように回避し、成長の持続性を維持していくかが議論され始めている。

中国――遅れた人口ボーナスの効果①

中国とASEAN4の人口ボーナスは、一九六五～七五年頃にスタートした。これらの国の初期条件は、韓国や台湾に比べてもさらに厳しい。たとえば、いずれの国においても農業比率は四割を超え、就業人口比率では七割を超えるという「農業国」であった。農村においては伝統社会が支配的で、工業化前夜にあったといえよう。高水準の合計特殊出生率が続いたため、同地域の過剰人口は経済成長を阻害する要因と捉えられていた。また、人口ボーナスのスタート時点でも、合計特殊出生率が四・〇を超える国が多く、全国民を対象とした初等教育さえも完備していなかった。工業化を支える電力・港湾・道路などのインフラは未整備であり、財政はそれを補うのに不十分で、「貧困の悪循環」の状況にあった。

このような不利な初期条件を克服しようと、中国では社会主義体制、ASEANでは軍を主体とする政権という「権威主義的開発体制」と呼ばれる体制の下で工業化が進められた。

中国とASEANの工業化は人口ボーナスの効果をどのように享受してきたのであろうか。まず、中国についてみてみよう。人口ボーナスは一九六五～七〇年にスタートしたと考えられるが、この時期の中国は社会主義国家建設の真っ只中にあり、すべての生産活動は政府の管理下に置かれていた。このような硬直的な経済体制が、生産者のインセンティブを低下させたことは多くの専門家が指摘するところであり、一九六五〜七八年の成長率は、わずか三・九%でしかなかった。

中国の本格的な経済発展の開始は、一九七八年十二月の中国共産党第一一期三中全会の決議に基づく「改革・開放政策」以降である。しかし、この時点で人口ボーナスが始まってからすでに一〇年が経過していた。たしかに、「改革・開放政策」以降の中国の経済発展はめざましい。一九八〇〜九五年には、天安門事件という政治社会の混乱を含みながらも、成長率は年平均八・七%という高水準を達成した（次ページの図2-14）。とくに工業部門は、一九八〇〜九五年にかけて年平均一二・一%と二桁成長を実現し、経済成長を牽引した。これにより、工業比率は、四割という高水準を維持し続けた。

しかし、この発展は労働集約型産業が牽引するものではなかった。「改革・開放政策」は、計画経済体制を維持しながら徐々に市場原理を導入するというもので、当初の経済成長の担い手は国営企業、重工業であった。また財政からの投資、銀行からの貸出は、国営企業、重工業に優先的に投入されてきた。他方、民営企業の生産活動は徐々に認められたものの、現実には制約が多く、労働集約型産業の成長に十分に寄与できなかった可能性がある。たとえば、一九八八年まで民営企業の従業員数は八人までと規制され、事実上民営企業が労働集約

図 2-14　生産年齢人口、国内貯蓄率、成長率（中国）

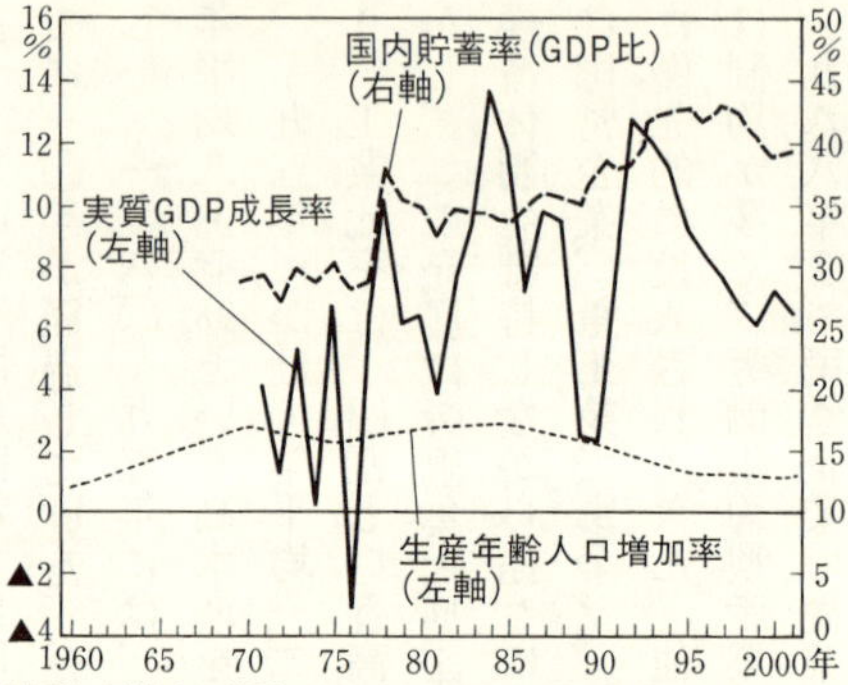

（出所）国連人口推計、*World Development Indicators*

図 2-15　産業別就業人口比率（中国）

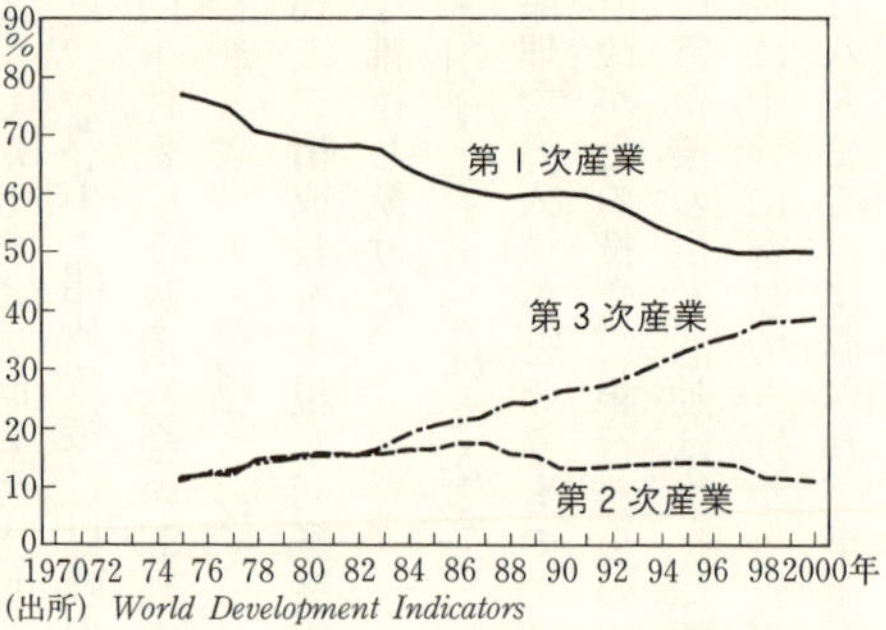

（出所）*World Development Indicators*

的な産業へ参入することが制限されていたことになる。実際に、同期間に工業の就業人口比率は、一九八〇年の一八・二%から一九九五年には二三・〇%へ上昇したにすぎない。

もちろん、この時期に労働集約型産業が発展しなかったわけではない。とくに外資企業は豊富な若年労働力に注目した。中国の外資誘致は、一九八〇年の広東省《カントン》や福建省《ふっけん》における経済特区の設置を皮切りに、九〇年にかけて沿海地域、内陸部へと広がった。当初、外資企業の進出に慎重であった政府が開放政策を本格化させたのは、労働集約型産業の発展が経済成長や貿易収支の改善に寄与すると認識したためにほかならない。ただし、人口大国である中国の労働力人口の吸収に、外資企業が果たした役割は限定的であった。

計画経済体制の下で工業化は加速されたものの、人口ボーナスの前半期に生じた毎年一〇〇〇万人を超える新規労働者を工業部門は吸収することはできなかった。九五年には農業部門のGDP比率が二割へと低下したのに対し、就業人口比率では、依然として五割を超えていた。つまり、工業部門が拡大する一方で、多くの若者は農村にとどまり続けたのである。また、農業人口の若干の低下は、工業部門が吸収するのではなく、生産性の低いサービス産業（インフォーマルセクター）が吸収したと考えられる（図２-15）。

ただし、生産年齢人口の急増は、農業部門の発展に貢献したかもしれない。七八年から八五年にかけての第一次産業の伸び率は年平均七・三％と高水準となった。これは請負制や政府買上げ価格の引き上げなど農村改革の結果であるが、それを遂行する若い労働力が農村にあったことが影響していたであろう。

一九九〇年代に入ると中国の国内貯蓄率は四〇％を超えた。九五年以降は、日本企業、NIES企業に加え、欧米企業も中国の生産能力や市場に注目し、「中国投資ブーム」が起こった。国際収支でみると、九四年以降、毎年三〇〇億ドル以上の資金が中国に流入した。二〇〇〇年頃には中国は「世界の工場」と呼ばれるようにもなった。現在では、自動車やコンピューターなどのハイテク産業の成長も著しい。一九九五〜二〇〇五年の成長率は約九％と、鈍化の傾向がみられない。二〇〇六年六月、中国統計局は二〇二一年頃には中国のGDPは日本に追いつくとの見通しを発表した。

中国経済がアジア経済に及ぼす影響は年々強まっている。しかし、二〇一五年頃、中国の生産年齢人口の増加率は人口増加率を下回り、理論上は中国の人口ボーナスは終わりを迎えることになる。中国は人口ボーナスの例外なのだろうか。この点は次章で再び検討したい。

タイ――遅れた人口ボーナスの効果②

さて、ASEANについては、中国と同様に人口構成の変化の著しいタイを取り上げてみたい。

タイの人口ボーナスは一九六五〜七〇年頃にスタートした。首都バンコクは農産物の輸出または中継貿易港として発展していたものの、国全体でみると農業の国・農民の国であり、就業人口の八割近くが農業を中心とする第一次産業に従事していた。

タイは、サリット政権以降、長期間軍事政権下にあったが、政府は経済発展を中心とした国づくりを目指してきた。一九五九年に国家経済開発庁（NEDB）を設立し、六一年から経済社会開発計画を策定してきたが、工業化は思うように進まなかった。国内貯蓄率もGDP比で二〇％台前半と低く、教育や保健面での公共支出は優先されたものの、電力・港湾・道路などのインフラ設備への投資資金は限られていた。一九七二年に「新産業投資奨励法」を制定し、輸出向け生産については税制・金融面での優遇を与えるという台湾の輸出加工区に似た政策を採ったが、その効果は限定的であった。インフラの不備が外資企業の進出の阻害要因になっていたのである。

たしかに一九七〇年以降、安価な労働力を活用した繊維・衣服の輸出は増加した。しかし韓国、台湾と異なる点は、国内の産業発展と強い連関性を持たなかったことである。これにもインフラの未整備や低い貯蓄率などの資金面での制約要因が影響していたと考えられる。

タイは、人口ボーナスの前半である一九六五〜八五年における経済成長率が年平均四・四％と、韓国、台湾に比べて低い。それでも開発途上国としてはまずまずの水準を維持することができた。この背景として末廣昭『タイ――開発と民主主義』（一九九三年）は、タイの農家が国際市場の需要に対応した農産品の多様化にすみやかに取り組んだこと、農産品を加工する産業（アグロインダストリー）が出現したこと、そして農業輸出を中心に地場の資本家が育ち始めたことが影響したと指摘している。中国と同様に、農村部門での若年労働力がこのような農業を中心とした国づくりの活力になったのかもしれない。八〇年代に入ると、食品加工業を中心とする工業化、「NAIC（新興農業関連工業国）」を目指す成長戦略が浮上した。しかし、人口ボーナスが始まってから約二〇年を経過した八五年の数字をみると工業部門のGDP比率は三一・八％に上昇していたものの、就業人口比率では八・〇％と低水準にあった。

タイでも中国と同様に、多くの若者は農村にとどまり、農業を続けた。このようなタイの状況を一変させたのが八五年のプラザ合意以降の国際経済の変化であった。八五年のプラザ合意で、米国の貿易赤字縮小を目的にドル高是正の政策協調が合意された。これを受けて円高・ドル安が進展し、対米ドル為替は八五年の一ドル二六〇円から九二年には一時八〇円台に下落した。日本企業は急速な円高による生産コスト上昇に対処するために、タイをはじめとする東南アジアへの生産拠点の移転を加速した。前にみたようにNIES諸国でも賃金上昇と通貨高が進行したため、これも東南アジアへの投資を加速させる要因になった。

一九八八年一年間にタイ投資委員会（BOI）が認可した外国直接投資の金額は、過去二〇年間の累積額を上回った。国際収支上の外国直接投資流入額は、それまでの年間二億ドル程度から八八年以降は毎年一〇億ドルを超えた。この外資企業の進出を契機に、輸出額は八八年の一五九億ドルから九五年に五八七億ドルへ増加した。輸出品目は、繊維・衣料、食品加工品の労働集約的な製品だけでなく、家電製品、集積回路やコンピューター製品などに多様化し、工業製品の割合は八八年の五四・九％から九五年には七三・一％に上昇した。同じく八八年から九五年のタイの経済成長率は年平均九・五％となった（次ページ図2‐16）。

この高い経済成長のなかで国内貯蓄率も一九八五年の二五・五％から九五年には三五・四％へ上昇した。国内貯蓄率が高まるなか、資本規制を緩和したため、海外から巨額の資本が流入し、行き場を失ったマネーは不動産や株式取得に向かい、地価や株価の高騰につながった。九二年以降のタイの経済発展は、「バブル経済」ともいわれた。九七年にはバーツ売りが殺到し「通貨危機」が勃発、タイ経済は九八年にマイナス一〇％という未曾有の後退を余儀なくされた。その後、金融・企業再編を経て、二〇〇〇年以降はようやく約五％程度の成長率へ回復し、新しい成長路線を歩み始めたようにもみえる。しかし、二〇〇五年の工業部門のGDP比率は四割に達しているものの、就業人口比率は一五％にすぎない。他方、農業部門のGDP比率は一〇％を下回ったのに対し、就業人口比率ではいまだに四割を超えている（次ページ図2‐17）。

中国とタイの経験をまとめると、政治体制や経済政策の特徴は大きく異なるものの、高成長がスタートしたのは人口ボーナスの半ばであり、労働集約型産業と資本集約型産業が同時に成長したことで共通している。また、外資企業の進出によるところも大きい。とくに都市

図２-16　人口ボーナスと成長率（タイ）

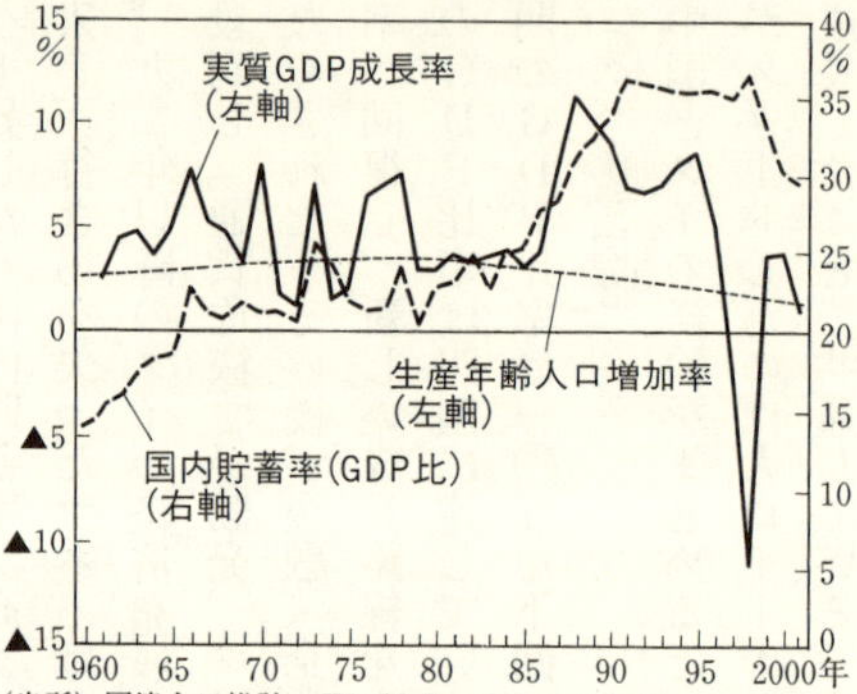

（出所）国連人口推計、*World Development Indicators*

図２-17　産業別就業人口比率（タイ）

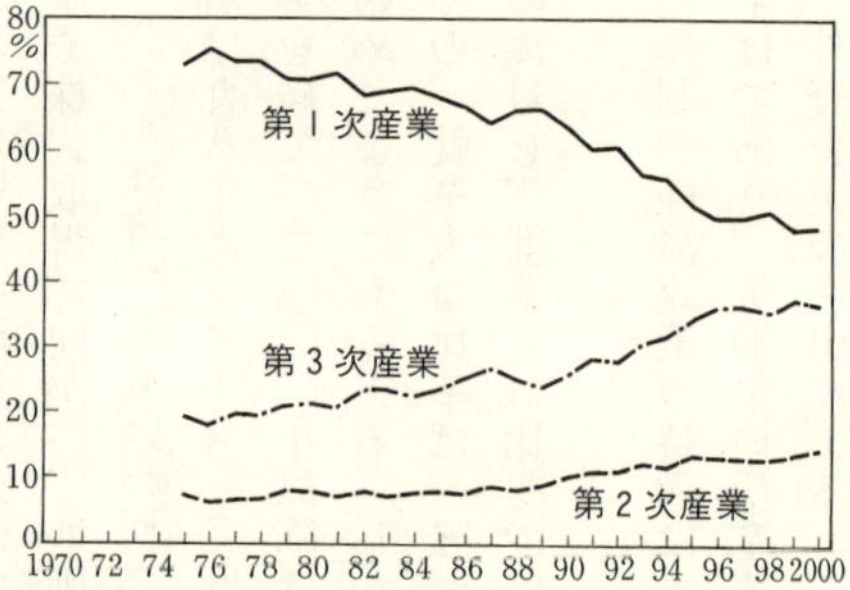

（出所）*World Development Indicators*

部の経済発展は著しく、人口ボーナス後半の高貯蓄の効果を享受して、旺盛な投資を実現し、日本、ＮＩＥＳで生じた「東アジアの奇跡」をアジア域内に拡大させることに寄与した。しかし、人口の多くがとどまる農村には、高成長の恩恵は十分には届かず、地域間所得格差が拡大した。

ここでは、中国とタイを取り上げたが、開発段階の低いうちに人口ボーナスが始まった点で共通するマレーシア、インドネシア、フィリピンもほぼ同じ特徴を有するものと考えられる。

もちろんASEAN諸国のなかでも人口ボーナスの効果は異なる。たとえば、マレーシアでは、マレー人の雇用を優先する「ブミプトラ政策」と並行して労働集約型産業の育成を重視し、また投資資本を確保するために強制的な年金基金（CPF）を設立したことは、人口ボーナスの享受に寄与した。外資企業の東南アジア進出を受けてマレーシアは東南アジアの電子電機の生産拠点としての地位を確立し、二〇〇五年の一人当たりGDPは五〇〇〇ドルと、シンガポールを除くASEAN諸国のなかで最も高い。他方、フィリピンは人口ボーナスのスタート時点で高い教育水準を有していたものの、資本集約型産業の工業化を優先してきたこと、長期化した政局不安が外資企業のフィリピン投資にネガティブな印象をもたらしたことなどから、一九七〇〜九〇年の成長率は一・一％でしかなかった。この点でフィリピンは人口ボーナスの効果を逸したといえるかもしれない。ちなみに世界銀行の『東アジアの奇跡』のHPAEsにはフィリピンは含まれなかった。

アジア全体の持続的発展をみる上では、日本が人口ボーナスを終え、NIES経済の成熟化した事実を踏まえると、それを補完する中国やASEAN4、ベトナム、インドなどの新しい勢力が不可欠になる。次章では、将来に目を転じ、人口構成の変化がアジア地域の経済にどのような影響を及ぼすのかを検討してみたい。

第3章　ポスト人口ボーナスの衝撃

中国の成長はいつまで続くのか　高層ビルが立ち並ぶ上海・浦東地区（写真提供・読売ニュース写真センター）

1　人口ボーナスから高齢化へ

前章では「東アジアの奇跡」とも呼ばれたアジアの高成長が、人口ボーナスという追い風を受けてきたことをみた。同時に、いくつかの国で人口ボーナスが近い将来に終わるとも述べた。たとえば、日本の人口ボーナスはすでに一九九〇～九五年に終わり、韓国、台湾などのNIESと中国やタイでは二〇一〇～一五年に終了する見込みである。このようななかで、アジア地域は今後も経済成長を持続することができるのだろうか。

人口ボーナスの終わりは、すなわち高齢化の始まりである。人口ボーナスを経済成長にとって「追い風」とするならば、高齢化は「向かい風」である。高齢化という向かい風の中身は、図3－1のように表すことができる。まず、高齢化が進む過程で生産年齢人口が減少す

図３－１　少子高齢化がマクロ経済に及ぼす影響

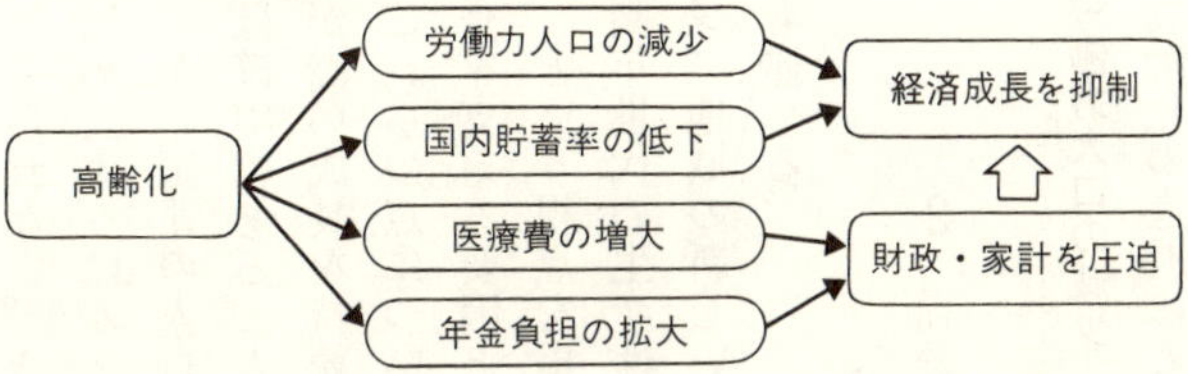

（出所）筆者作成

るため、労働力人口が減少し、国内貯蓄率が低下する。つまり経済成長を支える労働投入量、資本ストック、生産性の三要因のうち、前の二つの柱が細ることになる。他方、高齢者になれば疾病率が上昇するため医療費が増大し、また収入が少なくなるために、生活を支える所得保障（老齢年金）が必要となる。これらの高齢者の生活を支える負担が財政や家計を圧迫し、経済成長を抑制すると考えられる。

高齢化が進展するなかでアジア経済はどのように変化するのか。そして持続的成長を実現するための課題は何か。それを本章では考えてみたい。

ところでアジア地域の持続的成長を考えた場合、中国やＡＳＥＡＮ４が果たす役割は年々大きくなっている。このことは、昨今高齢化による成長の鈍化が危惧される日本やＮＩＥＳが、中国やＡＳＥＡＮ４との関係を深めることにより成長を維持しようとしていることからも明らかである。そして、近年、中国経済は年平均九％という高成長を維持しており、人口ボーナスが終わるような兆しはまったくみられない。ＡＳＥＡＮ４も通貨危機・経済危機から完全に脱し、新しい成長路線を歩み始めたようにみえる。

しかし国連の人口推計が示すように、中国やＡＳＥＡＮ４でも今後高齢化が急速に進むことは確実である。人口ボーナスも終わりに近づいているにもかかわらず、中国やＡＳＥＡＮ４が高い成長を持続しているのはなぜか。このような高成長はいつまで続くのか。

これらの点について、人口ボーナスの枠組みを修正あるいは拡大して考察する。なかでも成長を支える要因として、農村からの労働移動や都市部の消費という「都市部の人口ボーナス」という視点を提示したい。他方、成長への課題としては、資金配分を歪《ゆが》める金融制度や中高年世代の生産性の低さを挙げる。また、中国、ＡＳＥＡＮ４での特徴と課題を踏まえ、アジア地域の新しい成長の担い手として期待されているベトナム、インドの経済発展についても述べる。

2　高齢化による成長要素の変化

労働力人口の減少

高齢化の進展にともない労働投入量が減少することからみていこう。

日本においては、生産年齢人口はすでに一九九六年から減少している。国連の人口推計によれば、二〇〇〇年から二〇二〇年の間に、実に一一七六万人が減少すると見込まれている。韓国、台湾、中国の生産年齢人口の増加率もすでに一％以下と低水準にあり、二〇一五〜二〇年には減少に転じる見込みである。ASEAN4においては、しばらくは増加が続くものの、増加率は今後急速に低下することが予想されている（図3－2）。

図3－2　生産年齢人口の増減（中位推計）

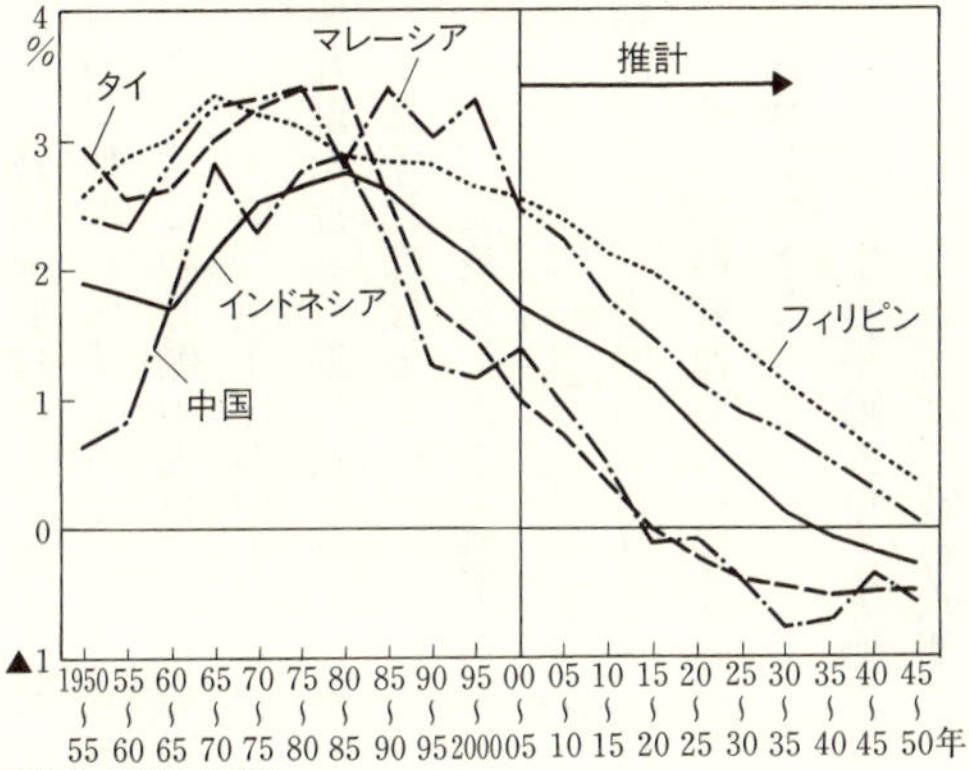

（出所）国連人口推計

生産年齢人口の増加率が低下するスピードは時間とともに加速する。当初は出生率の低下にともなって、生産年齢人口への参入者が減少するが、後には生産年齢人口から退出する高齢者の増加の影響を強く受けるからである。とくにベビーブーム世代が定年を迎える時点で生産年齢人口は大幅に減少する。日本における「二〇〇七年問題」は、団塊の世代が定年を迎えるために生産年齢人口が急減する現象である。

さて、経済成長率は、労働力人口の規模ではなく、その増加率に影響を受ける。生産年齢人口の増加率が低下することにより労働投入量の増加が制限され、経済成長が抑制されるからである。この労働力人口と成長の関係は、工場の従業員数と生産規模の拡大にたとえるとわかりやすい。生産性の向上がないものと仮定すると、生産規模の拡大には、人手の確保が重要な鍵を握る。期待通りの人手を確保できなかった場合には、工場の生産量は現状水準に甘んじなければならない。いわゆる「人手不足」が発生する。つまり生産年齢人口の増加率の低下は、成長を支える労働力が不足することを意味する。

ところで、ここまで生産年齢人口と労働力人口の関係を一定と考えてきた。生産年齢人口が増加すれば、労働力人口は増え、反対に生産年齢人口が減少すれば労働力人口は減る。そして、その増減の割合は一致するものとし、生産年齢人口の増減率を労働力人口の増減率として代替してきた。

たしかに、生産年齢人口と労働力人口の割合はおおむね一定の割合で推移するものの、不変ではない。たとえば、教育水準が上昇すれば、高校や大学の就学率が高まるため十五～二十四歳の労働力人口の割合が低下する。反対に、家事に従事していた女性が就労したり、高齢者の就労が増えたりした場合にも、生産年齢人口に対する労働力人口の割合は高まる。

このことを日本と台湾の生産年齢人口と労働力人口の関係からみておこう。図3－3は、生産年齢人口に占める労働力人口の割合の推移を示したものであるが、まず両者において生産年齢人口と労働力人口の割合はほぼ安定的に推移してきたことがわかる。これが、人口ボーナスにおいて生産年齢人口の変化を労働力人口の変化として代替できた根拠である。また、日本の労働力人口の割合は七〇〜八〇%、台湾のそれは五五〜六五%と、水準が異なるという特徴を持っている。これはそれぞれの雇用環境や生活様式、文化の違いなどに影響を受けているものと考えられる。

図3-3　生産年齢人口に占める労働力人口の割合

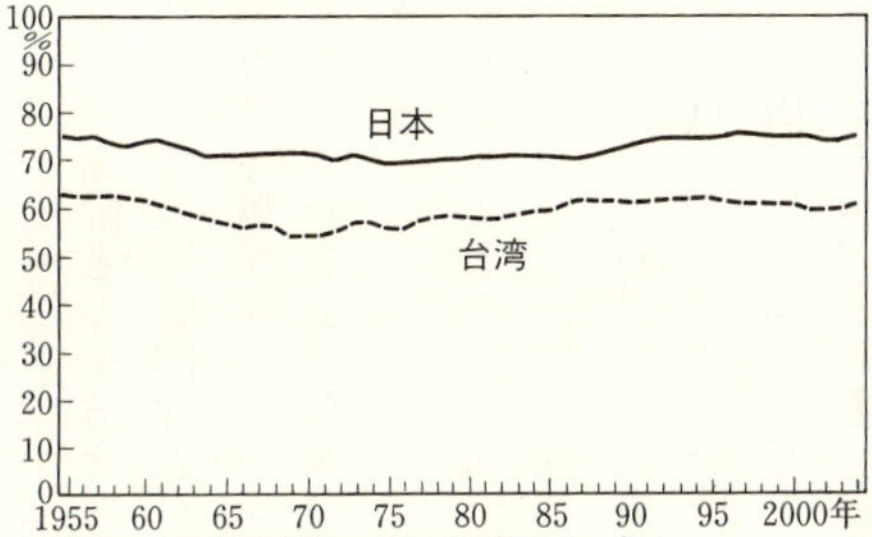

(出所) 日本総務省統計、台湾統計局統計から作成

しかし詳細にみれば、双方で一九六〇年代から七〇年代にかけて労働力人口の割合が低下していることがわかる。これは共に高校や大学への進学率が高まり、若年労働力人口の割合が低下したことによるものである。また九〇年以降に労働力人口の割合が若干上昇している。これは女性や高齢者の就業率の上昇が影響しているものと考えられる。たとえば、日本の場合、生産年齢人口に属する女性の就業率は一九九〇年の五三%から二〇〇四年には五七%に上昇した。台湾でも同様に一九八〇年の三九%から二〇〇〇年には四六%に上昇した。また高齢者の就業者数は、日本では一九九〇年の一四九

万人から二〇〇四年には二四八万人に、台湾でも一二万人から一六万人に増加した。

女性や高齢者の就労を促進することは、重要な高齢化対策であるとともに、労働投入量の維持の点では実質的な人口ボーナスの引き伸ばし策といえる。とくにわが国の場合、女性の高学歴化や就業率の上昇が少子化の原因になっていることを考慮すると、女性の就業と子育てを両立させるような職場環境作りは、労働投入量維持と少子化対策の双方で有効な施策といえよう。

ただし、これらの効果への過度の期待は禁物である。退職者の数は女性や高齢者の就業者数の増加をはるかに上回っており、日本では女性、高齢者の就業人口が増えたにもかかわらず、労働力人口は一九九九年から減少に転じているからである。

この点は、アジアの経済成長を展望する上で重要である。他のアジア諸国も、日本と同様に人口構成比の高いベビーブーム世代を持つため、彼らが退職する頃に生産年齢人口が大幅に減少するが、高齢者や女性の就労を促進することで、その影響を相殺することは困難となるからである。

そのほか、労働力不足を補う方法としては、外国人労働者の受け入れがある。これまで外国人労働者の受け入れに消極的であった日本が、介護福祉士などの特殊技能を有する者について、その資格取得を条件に規制を緩和した背景には、高齢化による人手不足があったことは明らかである。このような状況は、韓国や台湾でもみられるようになってきた。日本では、すでに八〇万人の外国人労働者を受け入れており、シンガポールでは六一万人、韓国や台湾でも三〇万人を超える。

ライフサイクルにみる国内貯蓄率の低下

次に高齢化が国内貯蓄率に及ぼす影響を考えたい。

人口ボーナスの枠組みでは、生産年齢人口の割合の上昇が国内貯蓄率を引き上げると考えてきたから、高齢化の過程では、国内貯蓄率は低下することになる。

ここでは高齢者の生活費の影響を考慮に入れて「ライフサイクル仮説モデル」の考え方を用いて再度検討してみたい。

ライフサイクル仮説モデルとは、個人の消費と貯蓄の配分は生涯所得によって決定されると考え、人々は勤労期に老後のために貯蓄し、退職後にそれを取り崩すと考えるモデルである。ライフサイクル仮説モデルを図示すると図3-4（次ページ）のようになる。横軸は年齢、縦軸は消費、所得の水準を示し、年齢の変化にほぼ平行な消費の曲線と、山なりの所得の曲線から構成される。この二つの曲線のギャップは、それぞれの時点の所得不足と所得余剰を表し、その観点から人生は以下の三つの期間に区分できる。

図3－4　ライフサイクル仮説モデル

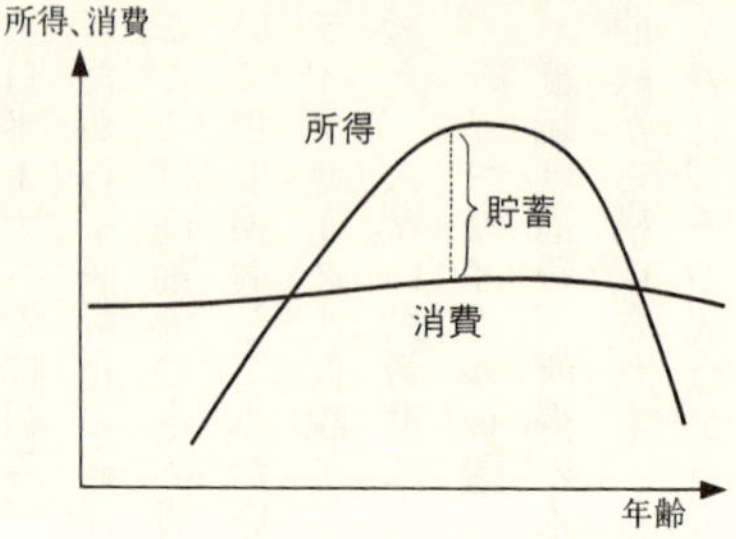

　第一は、誕生から青年期までの期間である。人は、生まれてからすぐに消費活動を始める。生命を維持するためには食料・衣服費が不可欠で、ある一定の年齢に達すると教育費がこれに加わる。しかし所得は職を得るまで発生しないため、生まれてから二十歳前後まで所得と消費の間に所得不足が生じる。この不足分は一般的には家族・親族が補《ほ》塡《てん》する。また、国や企業が義務教育制度や養育手当てなどを通じて一部を補うことがある。開発途上国の場合には、外国の資金支援が重要な役割を果たす。

　第二は、青年期から定年までの期間である。青年期に達し、職を得るようになると、所得不足は解消に向かう。そして、ある時点において所得が消費を上回るようになり、所得余剰が生まれる。この余剰分の一部は子供の養育費に充《あ》てられ、残りは将来のために貯蓄される。その貯蓄の水準は、所得水準、消費性向（消費に向ける支出の度合い）、子供の数、社会保障制度などに影響を受ける。

　第三は、定年以降の高齢期である。加齢とともに所得水準は低下し、定年を迎えると所得は急速に減少する。個人差があるものの、いずれ所得は消費を下回るようになり、再び所得と消費との間に資金不足が発生し、それは時間とともに拡大する。その不足は基本的には勤労期に自らが積み立てた貯蓄によって賄《まかな》われ、また不足分は、家族や社会保障サービス（医療保険、老齢年金、介護保険）によって補われる。

この個人のライフサイクル仮説モデルを積み重ねて一国ベースに拡大すれば、高齢者の割合が上昇することによって貯蓄率が低下することは明らかであろう。ただし、高齢化にともなう国内貯蓄率の低下のスピードは諸条件によって異なる。たとえば、ライフサイクル仮説モデルでは、個人は自らの貯蓄を高齢期に使い切ると想定しているが、これに対し、高齢者は貯蓄を使い切るのではなく、次世代（子孫）にその一部を遺産等として相続するモデル（「王朝モデル」と呼ぶ）がある。

ライフサイクル仮説モデルよりも王朝モデルの方が国内貯蓄の低下のスピードは遅くなる。

しかし、注意すべき点は、ライフサイクル仮説モデルも王朝モデルもともに、勤労期に高齢期の生活に十分な貯蓄を積み立てることができると仮定している点である。すべての人がそのような状況にあるわけではないし、開発途上国では、多くの人々にとって高齢期の生活を支える貯蓄があると考えるのは現実的ではない。このような場合、高齢者の生活費に生産年齢人口（現役世代）の所得の一部を回さざるをえず、国内貯蓄率の低下のスピードは開発途上国の方が速くなる可能性がある。

すでに日本では貯蓄率の低下が進んでいる。日本の国内貯蓄率は一九九〇年の三四％から二〇〇五年には二五％へ低下した（図3－5）。そのうち家計貯蓄率は一九九〇年の一六％から二〇〇三年には七％に低下しており、二〇一〇年には三％へ低下する可能性が指摘されている（『平成一七年度経済財政白書』）。韓国や台湾においても、貯蓄の担い手である生産年齢人口の割合はまだ上昇過程にあるものの、国内貯蓄率はすでに低下傾向にある。

もちろん国内貯蓄のみが投資の源泉ではない。グローバル時代においては、魅力的な外資誘致策を講じ、金融市場のインフラ整備を強化することで、外資を効果的に動員することができる。その意味では、経済成長に対する国内貯蓄の役割は以前より小さくなったといえよう。

図3－5　国内貯蓄率の推移（GDP比）

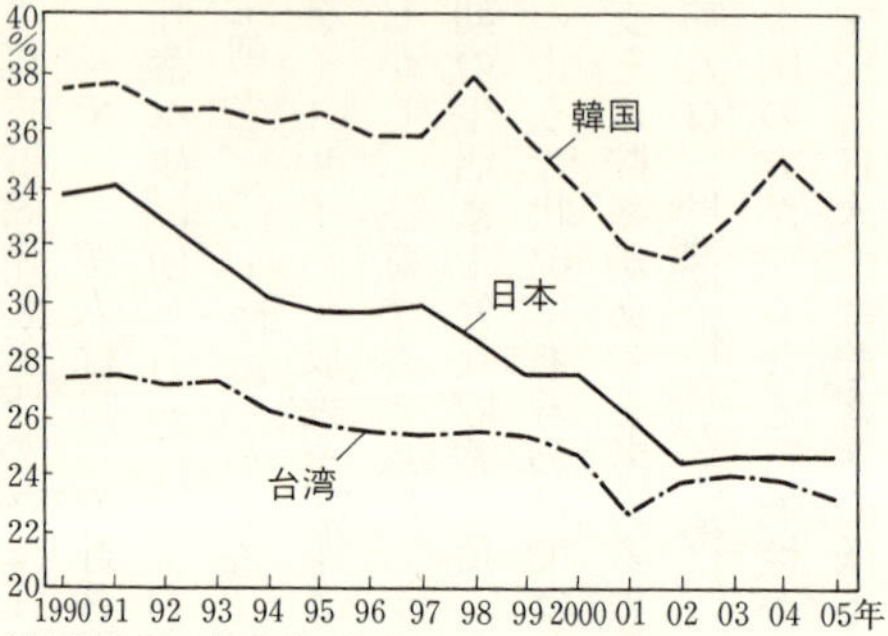

（出所）IMF、*ADB Key Indicators*

つまりグローバル時代には、貯蓄率が低い国あるいは貯蓄率が低下局面にある国でも、外資の取り込みを通じて国内投資を促進することは可能である。実際に、これによりアジアは高成長を実現してきた。しかし、長期的な視点に立って考えると、国内投資を賄うのに十分な国内貯蓄を確保することが、持続的な経済発展を実現する上で重要であることには変わりはない。

また、ＩＭＦ（国際通貨基金）は *World Economic Outlook*（二〇〇四年九月号）で高齢化が世界経済に及ぼす影響を検討し、今後先進国では国内貯蓄率が低下するため経常収支が悪化に向かうとの見方を示した。もしそうだとすれば、開発途上国が先進国から資本を取り込むことは、時間とともに困難になろう。この点でも、アジア諸国は、国内貯蓄率を維持することに力を注ぐべきである。これは成長を持続するための資金源の確保ということだけでなく、安定的な高齢社会を実現するためにも重要な施策である。

ところで、興味深いのは、高齢化が進む先進国は将来発生する貯蓄不足に対して新興市場（エマージングマーケット）からの資金取り込みを期待し、他方で新興国である中国やＡＳＥＡＮ４は先進国からの資金取り込みをこれまで同様に成長戦略の中心に据えている点である。先進国と新興国が将来的な成長の資金源を相互に期待しており、「誰が世界の資金不足を賄うのか」という問題が近い将来浮上してくるかもしれない。

求められる全要素生産性の向上

アジアが共通して労働投入量の減少と国内貯蓄率の低下に向かう以上、成長を持続するには、それ以外の成長要因、すなわち技術を含む「全要素生産性」を向上させるよりほかにない。全要素生産性に含まれるのは、企業の技術・開発能力や経営の効率性だけではなく、教育を通じた人的資本の向上、外資導入や金融システムの整備による資本効率の改善、法律・制度の整備、行政機関の効率的な運営、産業集積地の形成など広範囲なものである。

この「全要素生産性」の水準が低ければ持続的な成長は困難になる。これが「はじめに」で紹介したクルーグマンの「まぼろしのアジア経済」のエッセンスであった。クルーグマンの論文は、その後アジアで発生した通貨危機・経済危機を予言したものとして扱われることもあるが、労働投入量や資本ストックの拡大が期待できなくなったときに、アジア地域の成長は調整を余儀なくされると警告したものであった。クルーグマンがアジアの高齢化の進展を見通していたかどうかは定かではないが、アジア各国は、高齢化の過程でクルーグマンの警告について答えを出していかなければならない。

すでに、日本、韓国、台湾では、研究開発（R&D）の促進、産学一体となった最先端技術の開発などを通じた生産性向上が国家戦略になっている。他のアジア諸国でも、通貨危機・経済危機を経て、生産性向上の必要性が広く認識されるようになった。ASEAN4では、マレーシアが一九九八年に「ビジョン二〇二〇」で、タイが二〇〇三年に「ビジョンニング・タイランド」のなかで、産業構造を従来の労働集約型、資本集約型から知識集約型へ移行すべきという国家目標を掲げた。中国においても、近年「科教興国（科学技術と教育によって国家の発展を促進する)」のスローガンの下に知識基盤経済を目指し、教育制度の充実、大学や大学院への就学率の引き上げを目指している。

世界銀行は、アジア地域が経済危機から脱したと判断した二〇〇三年に、今後のアジアの経済発展の鍵は生産性の向上にあるとする『イノベーションに向かう東アジア(*Innovative East Asia*)』を発表した。このなかでは、『東アジアの奇跡』が指摘した初等・中等教育の充実や輸出の促進などの開発戦略に加えて、教育水準のさらなる向上や研究開発の促進を通じた技術革新やバリュー・チェーンを生かした産業集積地の形成、情報通信技術の活用など、生産性向上策を重視すべきという見方が示された。開発途上国がこれまでの開発戦略とともに、世界貿易の自由化に対処する競争力強化戦略を合わせ持たなければならないとしたのである。また、生産性の向上は持続的な成長の実現だけでなく、高齢社会を支える安定的な経済基盤を確立する上でも重要な施策となることを付け加えておきたい。

3　中国、ASEAN4の高成長の壁

アジア全体で高齢化による成長鈍化が危惧されるなかにあって、中国やASEAN4は高い成長を維持しており、アジア地域の成長の担い手になりつつある。この高成長は、人口構

成とどのような関係にあるのかについて、人口ボーナスの考え方を修正することで考察し、成長を持続するための課題を検討する。

偽装失業と労働移動

中国やタイの高齢化率は七%を超え、中国の場合、生産年齢人口も二〇一五年以降減少に転じる見込みである。しかし、中国やタイでは、日本や韓国、台湾でみられる「人手不足」の兆候はみられない。むしろ労働力は過剰で、雇用創出が重要な政策課題となっている。

これらの国の人口ボーナスについては、労働人口における失業者の把握が問題となる。二〇〇五年の中国の失業率は四・二%、タイでは一・八%と低水準にあるが、これは失業の実態を示していない。この失業率は、定期的に行なわれる「労働力調査」から把握されるものであり、そのなかでは農業従事者はその活動状況にかかわらず、多くが労働力人口に含まれる。しかし、低所得水準にある農家では、どの人が失業しているのかを示すことはできないが、失業に相当する実質的な過剰労働が存在するのは明らかである。このような農村における過剰労働を開発経済学では「偽装失業」と呼ぶ。これは実際には働いていても生産には寄与していない労働力人口のことである。そして、中国ではこのような偽装失業者が二億人に達するといわれている。つまり中国やＡＳＥＡＮ４の労働力人口には失業と変わらない状態の労働者を含むため、その数は過大評価されていることになる。

もちろん、農村に住む偽装失業者は、そこにとどまり続けるとは限らない。職を求め、あるいはより高い収入を求めて、都市部へと出稼《でかせ》ぎに出る。とくに都市部と農村で所得格差が著しい場合、労働移動は加速する。これをうけて、農村からの労働者流入により都市は肥大化する。都市部の人口の割合（都市化率）は、中国では一九七五年の一七％から二〇〇〇年には三一％に上昇し、タイでも二四％から三一％に上昇した。

中国では農村からの出稼ぎ者を「農民工」と呼ぶ。二〇〇六年四月に発表された『中国農民工調査研究報告』によれば、二〇〇四年時点で都市部に住む農民工の数は一億二〇〇〇万人であり、その三一％が製造業に、二三％が建設業に従事している。また、年齢別では十六〜二十五歳が四五％と圧倒的に多く、次いで三十一〜四十歳が二三％、二十六〜三十歳が一六％となっており、四十歳以下の若年労働者が八四％を占めている。

中国が「世界の工場」となった要因として、この農民工の役割を軽視してはならない。現在もなお、上海《シャンハイ》をはじめ沿海都市部において労働集約型産業が国際競争力を保ち続けている背景には、農村からの労働移動が安価な労働力を供給し続けていることがある。

これは中国の例であるが、人口の過半数が農村に住むＡＳＥＡＮ４でも、規模は異なるものの、同様のことが起こっていると考えられる。

人口ボーナスの考え方は、労働力人口のほぼすべてが就業人口となる「完全雇用」を想定しているから、偽装失業は人口ボーナスの考え方の修正を要する。つまり、偽装失業の状態にあった農村住民が都市部の工場で雇用されることは、実質的な労働投入量が増えることを意味する。したがって、中国やASEAN4では、生産年齢人口の増加率が低下する過程にあっても労働投入量の増加という人口ボーナスの実質的効果を享受できることになる。この農村からの出稼ぎが、中国やASEAN4で人口ボーナス後半においてなお労働集約型産業が経済成長を牽引する背景となってきた。

「都市部の人口ボーナス」論

国内における労働移動により、都市部の人口ピラミッドは、若年労働者の割合が高い構造へと変化する。つまり、出稼ぎにより若年労働力を吸収し続けることで、都市は人口ボーナスの効果を集中的に享受し、成長を持続することができる。他方、農村では出生率が都市部よりも高いにもかかわらず、出稼ぎが多いため、年少人口と高齢人口の割合が高い構成となる。農村では人口ボーナスの効果が早く薄れ、このことが都市部と農村の所得格差をさらに拡大させ、さらに低所得である農村において高齢化が加速する原因となる。

図3-6は、バンコクとタイ北部の人口ピラミッドをみたものである。数値はそれぞれの

図3-6　バンコクとタイ北部の人口ピラミッド（2005年）

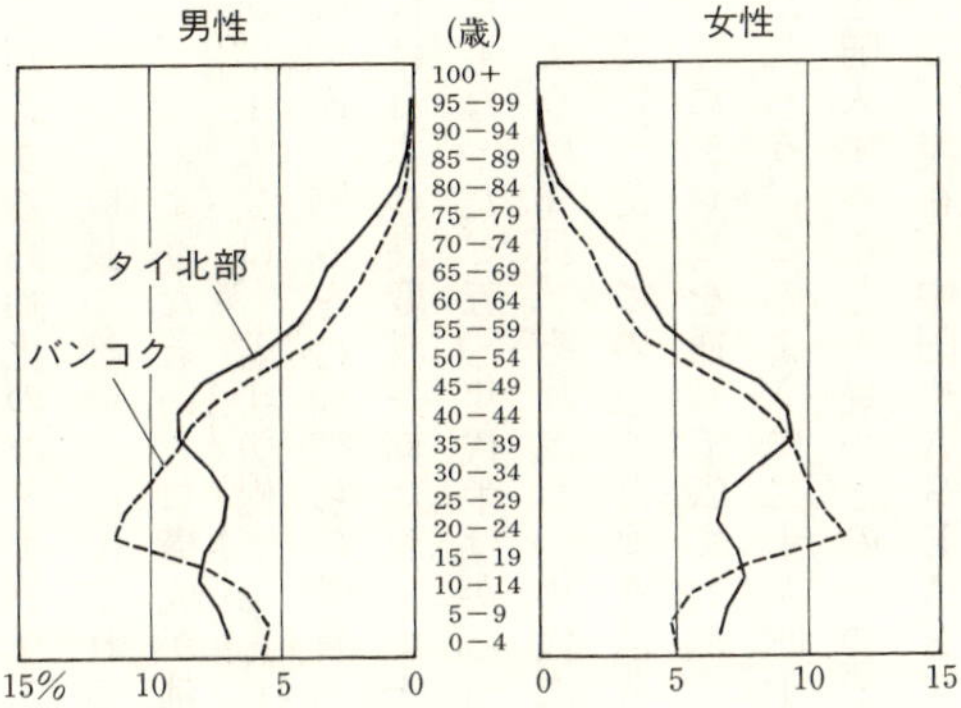

（出所）マヒドン大学人口推計より作成

年齢層別人口が地域の人口に占める割合を示している。バンコクの人口ピラミッドは、二十～三十四歳に厚みのある構造となっており、この年齢層だけで全体の三〇%を占める。他方、労働力を送り出す側の北部の人口ピラミッドは、バンコクとは逆に二十～三十四歳を谷とし、十～十九歳と三十五～四十四歳の割合が高いという二瘤《ふたこぶ》を形成している。この図からも都市部の成長が農村の人口ボーナスを吸収することで持続していることがわかる。

また、都市部は貯蓄面でも人口ボーナスの効果を享受できる。中国の都市部と農村部の家計貯蓄率をみると、都市部では一九九〇年の一五%から二〇〇五年には二四%へ九%ポイント上昇したのに対し、農村では六%から九%へと三%ポイントの増加にとどまっている。この貯蓄は農村に振り向けられることなく都市部の投資に向けられ、その結果、都市部の景観は毎年のように変化する。中国やASEAN4の都市部に滞在していても、やがて到来する高齢化の波を実感することはできない。むしろ都市は若者の熱気と活気にあふれており、成長の勢いに圧倒される。

また、このような若い人口構成が都市部の消費を促進させる効果があることも指摘しておきたい。主人公は、若年労働者である。日本ではかつての団塊の世代がこれに相当する。人口構成で最も厚みを持つ彼らの購買力は大きく、常に消費トレンドをリードしてきた。団塊の世代は日本の高度成長期においてその労働供給源となると同時に、耐久消費財の購入の担い手にもなった。五〇年代半ばから白黒テレビ、冷蔵庫、洗濯機のいわゆる「三種の神器」が飛ぶように売れ、それは七〇年代にはカラーテレビ、エアコン、自動車の「三C」に引き継がれていった。この急速な物資消費の拡大には、若年労働者がトレンドに敏感な世代であり、とくにテレビを通じて広まったアメリカの消費生活への憧《あこが》れに牽引されるところも大きかっただろう。このように二十～四十歳の世代がトレンドに敏感で、まわりに遅れないよう商品を購入することが豊かさの一つであると考えることは、おそらく世界共通である。

そして、現在、中国やASEAN4の都市人口は二十～四十歳が多く、彼らが消費をリードしているのである。たとえば、バンコク市内では街のいたるところに「セブン・イレブン」「ファミリーマート」などのコンビニエンスストアがあり、そこではペットボトル入りの日本茶（タイ製）が爆発的に売れている。所得水準が日本の一〇分の一であるにもかかわ

表3-1　日系企業が投資する際の有望理由(複数回答)

(単位：%)

	安価な労働力	現在の市場	市場の成長性
中国	57.2	24.9	82.3
タイ	45.9	24.1	42.1
インドネシア	54.1	27.0	59.5
ベトナム	71.4	5.2	46.8

(出所)国際協力銀行『我が国製造業の海外事業展開に関する調査報告』(2006年度)

らず、三〇〇円に相当する「スターバックス」のコーヒーを飲むビジネスマン・ビジネスウーマンが増えている。これらは消費の対象がファッション性を志向していることを示すものであろう。

このような中国やASEAN4の都市部の消費拡大は、テレビやインターネットによって刺激されている。タイでは携帯電話の保有台数が二〇〇六年に三五〇〇万台を超えた。単純に人口で割れば、国民の二人に一人が携帯電話を保有していることになる。銀行の発行するクレジットカードの発行枚数は、一九九九年の一八二万枚から二〇〇六年には五四五万枚に、それによる貸出残高は四一七億バーツから八六六億バーツに増加するなど、消費者金融も消費の拡大を後押ししている。中国やASEAN4の民間消費の伸びは堅調で、少々の景気後退には影響を受けないという「ラチェット効果」を示し、二〇〇〇年以降の成長の牽引役になっている。

外国企業も中国やASEAN4を消費市場として注目している。二〇〇六年度に国際協力銀行（JBIC）が行なったアンケートによれば、中国やベトナム、タイ、インドネシアへの進出の理由が、安価な労働力だけでなく当該国の市場の成長性にも広がっている。現在の市場について中国、タイ、インドネシアでは二〇%以上の企業が魅力があると回答し、将来の可能性となると、中国では約八割に、タイやインドネシア、ベトナムも四～五割に上昇する（表3-1）。二〇〇五年のＡＳＥＡＮ４における自動車販売台数は一九〇万台となり、ＡＳＥＡＮが一つの巨大市場を企業に提供しているといえる。

高い国内貯蓄率

次に、中国とＡＳＥＡＮ４における国内貯蓄率に目を向けたい。中国とＡＳＥＡＮ４も高い国内貯蓄率を維持している（図3-7）。とくに中国の国内貯蓄率は九〇年以降、ほぼ四〇%を維持し、二〇〇五年は過去最高の四七%を記録した。他方、タイでは一時三五%を超えた国内貯蓄率は、通貨危機・経済危機以降低下に向かい、二〇〇五年には二九%へ低下した。しかしその水準は、開発途上国のなかでは、なお高い水準にある。

中国やタイでは生産年齢人口の割合が今後もしばらく上昇するため、国内貯蓄率も高水準を維持する可能性はある。また先に述べたように農村からの出稼ぎ者が都市部でより多くの所得を手にすることは国内貯蓄率を高止まりさせる力になろう。

さらに中国やＡＳＥＡＮ４は、その高い成長力と将来的な市場の魅力から、海外から直接投資や証券投資、銀行の貸出先として注目され、国内貯蓄率が高まるなかで、さらに海外からの資金流入が増えるという環境を作りだしている。このような潤沢な資金を生かしきれば、中国やＡＳＥＡＮ４は高い成長率を持続できるかもしれない。

しかし、これらの国では、巨額の資金を効率的・効果的に配分できる金融システムが整備されているとはいいがたい。むしろ通貨危機・経済危機の原因の一つとして未整備な金融システムが指摘されたように、現在なお整備が要請される段階にある。ここでは、人口ボーナスの後半に金融システムが整備されていないと、高い国内貯蓄率や海外からの資金流入を効率的に配分することができず、経済をバブル化させる可能性があることを指摘しておきたい。

図3-7　中国とタイの国内貯蓄率

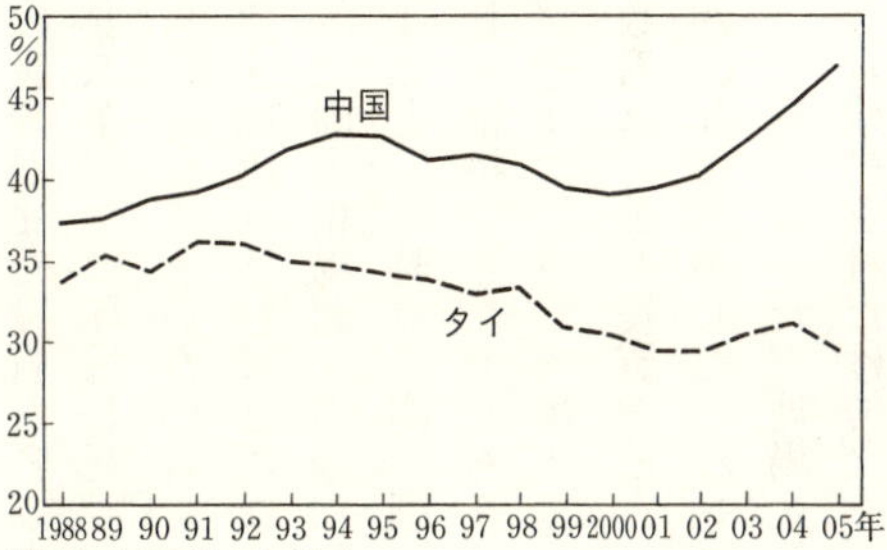

(出所) *ADB Key Indicators*

このことをアジア通貨危機の発端となったタイを例にみておこう。タイではプラザ合意以降の高成長のなかで、国内貯蓄率は八〇年代前半の平均二五％から九〇年代前半には平均三五％へと一〇％ポイントも上昇した。他のＡＳＥＡＮ諸国も同様で、この国内貯蓄率の上昇が旺盛な投資を可能にし、その投資がまた投資を呼ぶという好循環を形成した。このようななか、タイは九〇年に「IMF八条国」に移行した。これは資金の経常取引規制の撤廃を意味し、海外からの銀行借入を自由化するという内容を持っていた。これをきっかけに世界で余剰感のあった資金がタイに急速に流れ込むことになった。また、先進国との間に五％以上の金利差が存在し、かつ実質的な固定相場制にあったため為替リスクがないという条件もこれを後押しした。今思えば、タイは九〇年時点の高い国内貯蓄率をもってすれば、海外からの資金誘引を図らなくても高成長を維持できたであろう。いずれにせよ、海外からの資金流入はGDP比で六％にも達した。それによって一九九〇〜九六年の七年間、国内投資率は実にGDPの四〇％を超えた。

政府は、公共投資を拡大し、インフラ整備に邁進した。九六年、九七年の公共投資は歳出の四〇％にも達した。バンコクは建設ラッシュで、街中はビルディングが文字通り「林立する」状況となった。地場企業や外資は新規投資を拡大した。サイアムセメントは、セメントを含む建設資材だけでなく、自動車、石油化学、電機などへと事業を多角化し、ブロイラーの輸出の大手であるCPグループは、近代流通、石油化学、電気通信事業に参入した。

家計部門は、消費活動を活発化させると同時に、好んで証券や不動産へ投資した。タイ証券取引所株価指数（SET）の年末終値は、八六年の二〇七ポイントから九三年には一六八三ポイントと八倍になった。また、不動産への投資では、土地の売買金額が一九八六年の四九七億バーツから九六年には四四一三億バーツに急増した。このような土地投機を加速させたのは、銀行を含む金融機関の貸出の増大であった。金融機関の不動産デベロッパーへの融資残高は一九九〇年の一五四九億バーツから九五年には五二三〇億バーツに増加した。これは実にGDPの一〇%を優に超える額であった。

このようななか、クルーグマンは、アジアの成長はまぼろしであるという論文を書いたのである。この論文が世界中に急速に広まったのは、その論文の視点の斬新《ざんしん》さに加えて、タイや韓国で起こっているバブル経済のあやうさをいち早く指摘したためであった。その後、固定相場制度の盲点を狙った国際金融機関の通貨アタックを受け、タイは変動相場制への移行を余儀なくされ、バーツは一ドル二五バーツから一時四〇バーツに急落した。バブルははじけ、その後のIMFの一連の政策はさらに景気の落ち込みを加速させ、通貨危機は経済危機へと発展した。九八年のGDP成長率は前年比マイナス一〇%と、タイは未曾有の経済後退を経験することになった。

中国経済はバブル化していないか？

現在では、タイは経済危機を脱し、新しい成長路線を歩みつつあるが、実質GDPが危機以前の水準に回復するまで四年の歳月を必要とした。なかでも金融部門の不良債権が貸出残高の四〇%を超えるという金融危機が経済回復の足枷《あしかせ》になった。タイの不良債権の増大は、通貨危機の直接の原因とされているが、それ以前の非効率な資金配分によるバブル経済が遠因であることは疑いない。

タイの経験は、中国の高成長の持続性を展望する上で新しい視点を提示している。中国は、通貨危機が発生した九七年には、対外資金取引を厳しく規制していたため、通貨危機・経済危機の影響をほとんど受けなかった。現在も当局は資本取引規制や為替の自由化について慎重な運営を行なっているから、当面、通貨危機や経済危機に陥るリスクは小さい。

ただし、国内貯蓄率がGDPの四〇%を超えるなかで、さらにGDPの約三~五%に相当する資金が海外から流入している点では、通貨危機前のタイに似ている。タイとの大きな違いは、タイでは経常収支の赤字を埋め合わせる形で資金が流入したのに対し、中国では経常収支が黒字であるなかで、さらに資本の流入が続いていることである。その結果、中国の外貨準備高は、二〇〇六年末時点で一兆六六三億ドルと世界最高の水準になった(図3-8)。

このような潤沢な資金が投資を急拡大させた。一九九五~二〇〇五年の平均国内投資率はGDPの四一%に達した。なかでも二〇〇四年には五〇・五%と驚異的な高水準を記録した。

注意すべきは、これらの過剰な資金が効率的に使われていない可能性が高いことである。中国の金融システムは銀行を中心としており、そのうち国有商業銀行四行が貯蓄と貸出の約

図３－８　中国の経常収支、資本収支、外貨準備高の推移

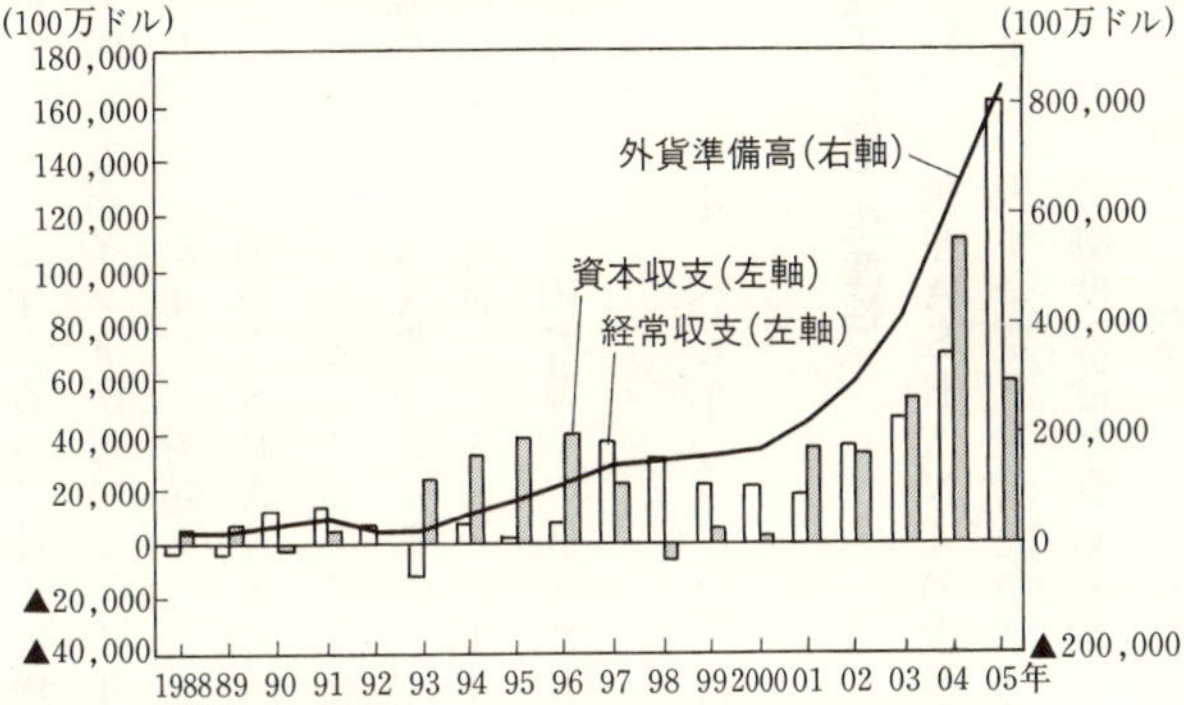

（出所）*ADB Key Indicators*

六割を占めている。そして、『通商白書 二〇〇六』によれば、国有企業が中国の固定資本投資の主たる担い手であり、その資金は国有銀行からの貸出によって賄われている。また投資向け長期資金だけでなく、金融機関の短期貸出でも、国有企業向けが五〇%を超えている。国有企業のＧＤＰに占める割合はすでに三割程度しかないことを考えると、このような貸出は決して効率的なものとはいえない。

二〇〇三年以降、政府は、工業部門の過剰投資を懸念して、指定産業への銀行貸出規制などを通じた投資抑制策を講じている。しかし本質的な課題は、国有企業を金融機関への過度の依存構造から脱却させることである。このことは政府も認識しているものの、国有企業改革、金融改革のペースは遅い。これらの余剰資金は、国有企業だけでなく、不動産市場や証券市場にも流れ込んでいる。政府が不動産投資抑制に乗りだすと資金は株式市場に流れ込み、上海総合株価指数は二〇〇二年の年末終値の一四一九ポイントから二〇〇六年十二月には二三五〇ポイントに上昇し、二〇〇七年五月には四〇〇〇ポイントを超えた。

さらに、中国やASEAN4の国内貯蓄率が、今後も現在のような高水準を維持できるかどうかは不明である。これらの国において、先に述べたライフサイクル仮説モデルのように高齢期の生活費を勤労期に積み立てられる人はそう多くないからである。加えて、中国やASEAN4の高齢化のスピードは日本と同様かそれよりも速いことを勘案すると、先進国以上に高齢化が国内貯蓄率の低下に及ぼす影響が大きくなる。

4　ベビーブーム世代の生産性

農工転換と生産性

次に、中国やASEAN4の生産性についてみておきたい。

生産性を表す全要素生産性の測定は容易ではない。経済学では全要素生産性は、経済成長率のうち、労働投入量と資本ストックの伸び率で説明できない部分として把握されるにすぎない（そのために残差と呼ばれる）。つまり全要素生産性を個別具体的に把握することはできない。また、そこから導きだされるものは、経済全体でみた投入量と産出量の関係からみた国レベルの大まかな生産性を示すだけである。

簡単な例では、生産性の水準の異なる部門が存在する場合、その部門間で労働や資本が移動することだけで生産性は向上する。その典型的な例が第一次産業主体から第二次産業主体への産業構造の転換（農工転換）である。

したがって、中国やASEAN4では、工業部門が農業部門の就業人口を吸収することによって、実質労働投入量が増加するだけでなく、労働生産性も向上するはずである。しかし第2章で示したように、これらの国では工業部門がGDPベースでは主体となっているものの、就業人口比率は低く、多くの人々はいまだ農業部門にとどまったままである。工業部門における就業人口一人当たりの付加価値額は、農業部門の五～一〇倍と部門間格差も大きく、縮小する方向にない。日本、韓国、台湾の場合にも二～四倍であるが、それは産業間の労働移動が進んだため、付加価値の低い農業はGDP比率でみても、就業人口比率でみてもマージナルな存在でしかなくなった。付加価値の格差が著しい上、産業間の労働移動が遅れているとすれば、その原因をつきとめ、改善する必要がある。

その原因としては、工業部門の生産技術が、労働よりも設備機械など資本に依存したものが多いことが考えられる。中国の場合、国有銀行が国有企業へ優先的な貸出を行なってきたと述べたが、その多くは労働力よりも資本を活用する重工業部門であった。銀行を通じた資金配分が就業構造の農工転換に生かされていなかった。

また、これらの国の工業が外資企業に依存している点も指摘できる。外資企業は重工業だけではなく、労働集約的な産業に多く進出しているが、その生産を支える関連性の高い産業、たとえば、素材産業や金型、鋳物などの裾野産業(サポーティング・インダストリー)が育っていない。その結果、外資企業は製品の素材、金型、部品の多くを海外からの輸入に頼らざるをえない状況にある。これは同時に人材不足にかかわる問題であり、専門性の高い人材育成が課題になる。

工業部門の拡大には、中小企業の成長が不可欠であり、資金不足や人材不足を改善する施策を急がねばならない。また、中小企業の活動を阻害する要因は取り除くべきである。すでに指摘したように、中国の場合では短期の運転資金の需要が中小企業の側に強いにもかかわらず、国有企業への優先的な貸出が中小企業の資金不足の原因になっている可能性がある。おそらくこのような状態は、中国に固有なものではなく、金融システムの整備の遅れているASEAN4でも同様であろう。

ベビーブーム世代の高齢化

高齢化の影響は、高齢者の割合が上昇することだけでなく、労働力人口の構成が高齢化することを通じても波及する。

ここで、生産年齢人口のうち十五～二十九歳を若年労働力人口、三十～五十四歳を中高年労働力人口、五十五～六十四歳を高齢労働力人口と区分しておこう。この区分にしたがうと、中国の若年労働力人口の割合は二〇〇五年の三四％から二〇三〇年に二七％に低下する。他方、中高年労働力人口は五五％から五一％へ若干低下し、高齢労働力人口が一一％から二三％へ倍増する（図3－9）。タイも同様に、若年労働力人口が三七％から三〇％に低下し、中高年労働力人口は五二％と変わらないものの、高齢労働力人口が一一％から一八％へ上昇する。

それでは、年齢別人口と生産性とはどのような関係にあるのだろうか。『通商白書 二〇〇六』は、製造業における年齢別の生産性を試算している。これによれば、生産性は勤労年数二〇年頃にピークとなる。勤労初年に比べ生産性は四〇％ほど高い。勤労年数二〇年前後を四十

図3－9　中国の生産年齢人口の内訳

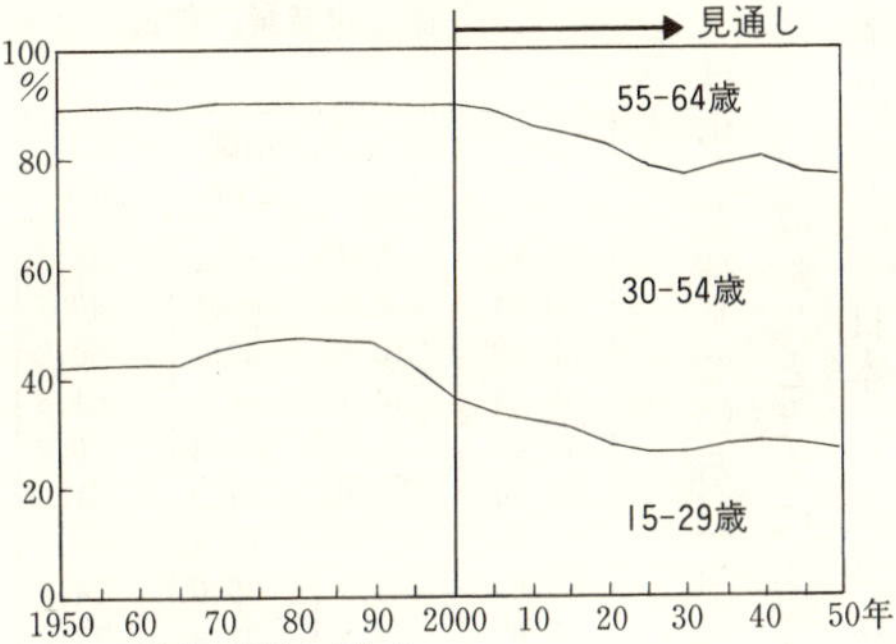

（出所）国連人口推計より作成

表3-2　年齢別就業人口における第1次産業の割合

（単位：%）

	日本 1980	中国 2000	タイ 2000
25-29	5.4	56.2	46.5
30-34	6.9	60.5	49.7
35-39	10.6	59.7	50.2
40-44	14.7	61.0	51.8
45-49	18.9	68.3	56.7
50-54	22.0	74.9	61.5
55-59	25.5	81.5	66.9
60-64	29.9	89.0	74.0
65-69	34.8	92.9	77.2

（出所）日本；『昭和55年国勢調査報告書』、
中国；『2000年人口普査資料』、
タイ；*The 2000 Population and Housing Census*

歳とすると、その後、生産性は低下に向かうが、退職にあたる勤労四〇年目の生産性はピークから二〇%程度しか低下しない。これは、経験、知識、技術、そして人的ネットワークが活用できるためである。

　中国やタイの生産年齢人口の中央値は今後一〇年のうちに四十歳を超えることになる。しかし、中国やASEAN4のベビーブーム世代が四十歳を超えるとき、彼らは日本と同じように経験や知識、技術を蓄積しているだろうか。そうでないとすれば、中高年にかけて生産性の伸びは低く、そして高齢化とともに生産性の低下は著しくなる。

　表3-2は、日本（一九八〇年）、中国（二〇〇〇年）、タイ（二〇〇〇年）の年齢人口別に第一次産業に就業する人口比率をみたものである。若年層になるほど比率が低くなる傾向では共通しているが、中国やタイでは全体を通じてその割合がまだ高く、多くの人が農業に従事したままであることがわかる。これは二〇〇〇年時点の状況であり、それ以降、高成長のなかで他の産業へ移り変わっていることが想定される。しかし、それらは前述の中国の農民

表3－3　日本、タイ、中国の年齢層別最終学歴

(単位：%)

年齢(歳)	日本 1980	中国 2000			タイ 2000		
	大学・大学院	初等	中等	大学・大学院	初等	中等	大学・大学院
25-29	17.7	24.0	52.3	1.9	53.4	26.2	4.5
30-34	14.4	29.1	50.3	1.8	60.4	22.0	3.7
35-39	11.2	25.2	47.2	1.7	64.4	17.0	3.8
40-44	9.0	32.5	36.7	1.0	68.8	13.2	2.2
45-49	7.8	45.2	32.1	0.8	75.1	8.9	1.5
50-54	5.1	52.0	24.6	0.8	75.9	8.9	1.1
55-59	3.5	47.4	21.8	1.4	75.6	7.7	1.0
60-64	2.5	45.0	13.6	1.7	74.6	4.6	0.8
65-69	2.4	33.0	7.5	0.7	74.0	3.5	0.5

(出所)日本;『昭和55年国勢調査報告書』、中国;『2000年人口普査資料』、タイ;*The 2000 Population and Housing Census*

工調査で示したように四十歳以下がほとんどであり、中高年層はやはり第一次産業にとどまり続けていると考えられる。この中高年層が、将来より生産性の高い産業へ職を変えることは容易ではない。そして注意すべきことは、その多くがベビーブーム世代と重なることである。

次に生産性の向上の基盤となる教育水準について考えてみたい。表3－3は、同じく日本、中国、タイの年齢層別の最終学歴をみたものである。年齢層が若くなるにつれて高学歴化する傾向にあるものの、日本では一九八〇年に二十五〜二十九歳の大学・大学院の卒業者が、すでに一八%であったのに対し、中国は二%、タイも五%と遠く及ばない。中高年層については、小中学校を最終学歴とする者が多い。

もちろん教育水準だけが生産性の向上の決定要

因ではないが、中国やタイのように中高年層が初等教育を最終学歴とし、第一次産業に従事したままということが、将来的に国の生産性を高める際の阻害要因になりはしないか。日本や韓国、台湾では、高齢者の就業を促進することで、労働投入量の低下への対処策としているが、現状のままでは、タイや中国の第一次産業に従事する中高年層にそれを求めることは困難である。まして新しい技術を必要とする分野への再就職は不可能といえる。

すでに、都市部の高齢者の就業環境は厳しい。中国の二〇〇〇年の年齢別就業率では、五十歳を超えると男女の区別なく急速に低下している（図3－10）。男性の就業率は五十五〜五十九歳には五五％になり、六十〜六十四歳では二四％へ低下する。六十五歳以上の高齢者ではわずか一〇％でしかない。

図3-10　中国都市部の年齢別就業率（2000年）

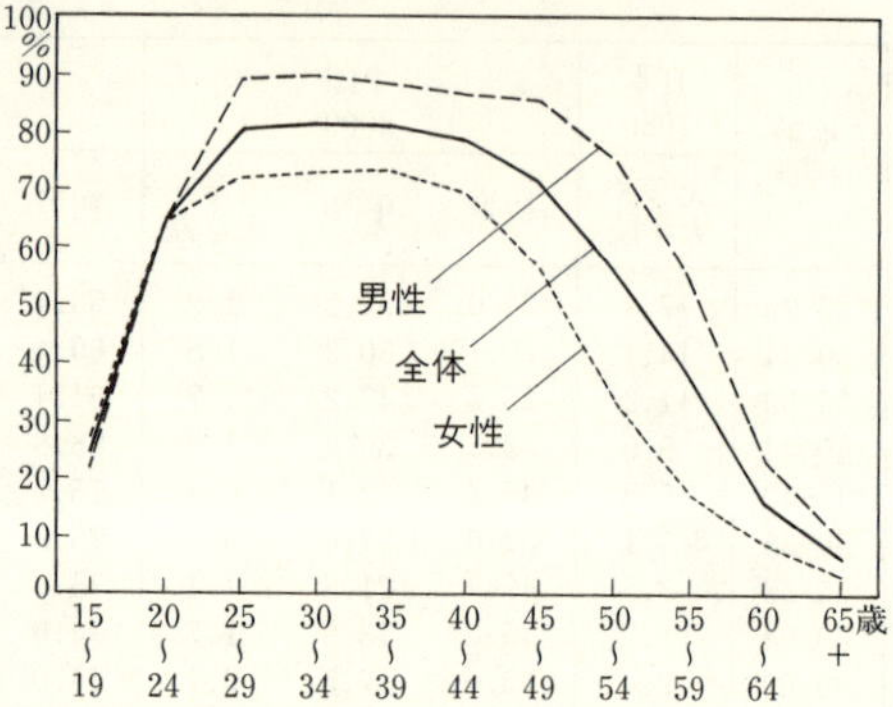

（出所）『2000年人口普査資料』

高齢者の定義を六十五歳以上とするのは、一般的にみて収入の機会が減少する退職年齢を六十五歳と見立てたからである。六十五歳を超えても自ら収入を得る機会を見つけることができる人は、年齢的には高齢人口に属しても、実質的には生産年齢人口となんら変わりはない。しかし逆に、中国のように五十歳でありながら就業の機会がなくなってしまうとすれば、年齢的には生産年齢人口に属しても、実質的には高齢人口に相当することになる。つまり、中高年層の生産性を高めるような職業訓練などを施さない場合、実質的な高齢化が早く訪れるということになる。

日本や韓国、台湾において高齢者の収入機会の創出が効果を発揮できるのは、これらの国の高齢者が産業構造の変化のなかで知識、経験、技術などを蓄積した結果であることを忘れてはならない。中国やタイのベビーブーム世代は、現在三十〜四十五歳の層にある。手遅れにならないうちに彼らに適切な職業訓練を行なう必要があろう。ベビーブーム世代の生産性を引き上げられれば、将来的な高齢化負担の軽減となる。

たしかに、これまでもアジア各国政府は、教育水準の向上に多大な努力を払っている。近年、中国やタイでは大学を含む高等教育の就学率が上昇している。一九九八年と二〇〇四年を比較すると、中国は六%から一五%へ、タイは一五%から三三%へと上昇している。しかしこれは若年層を対象とするもので、国レベルでの成長を考えた場合には、別途中高年層の生産性を高めるための政策を軽視してはならない。

ここまでみてきたように、中国やASEAN4の人口ボーナスの現れ方は、日本、韓国、台湾とは異なる。中国やＡＳＥＡＮ４では、農村から若年労働力を吸収しながら、都市部が人口ボーナスの効果を享受し、経済成長を牽引してきた。この傾向は今後も続くものと考えられるが、その反面、農村における人口ボーナスの効果は乏しく、所得格差はさらに拡大する可能性が高い。また、成長が都市から農村へ波及する際に、受け手としての中高年層の能力が欠けていれば、その効果は半減するであろう。これを回避するには、現在の高い国内貯蓄を効果的に使うことはもちろん、農村にとどまり続ける中高年層の生産性を引き上げるような施策が必要となる。

5 ベトナムとインドの参入

アジアでは労働集約型産業の担い手を日本からＮＩＥＳ、そして中国、ＡＳＥＡＮ４へとシフトし、雁行的な経済発展を経験してきた。近年には、その外延にベトナムとインドが参入し、アジアの経済統合が、いっそう拡大と深化を遂げる可能性が高まっている。両国の過去三年（二〇〇三〜〇五年）の平均成長率は、ベトナムが七・九％、インドは八・一％とＡＳＥＡＮ４と比べても高い。ベトナムは、安価な労働力を武器に「チャイナ・プラス・ワン」として労働集約型産業の担い手となる一方で、インドはＩＴ産業をテコに最先端技術産業が経済成長を牽引しているため「蛙《かえる》とび的成長」ともいわれている。前述の国際協力銀行のアンケート結果では、中期的に有望な事業地域として、インドは中国に次ぐ第二位、ベトナムは第三位となっている。以下、中国、ASEAN4における人口ボーナスの経験と教訓から、ベトナムとインドの経済発展の特徴と課題を考えてみたい。

小型中国としての課題――ベトナム

ベトナムは、一九八六年に導入された「ドイモイ政策（刷新政策）」をスローガンに、社会主義体制を維持しながらも経済活動の市場化を推進してきた。一九八〇年代後半はインフレの進行や為替レートの急落などにより経済が不安定化したが、九〇年以降は安定に向かい、九五年以降は安定成長を持続している。すでにドイモイ政策の導入から二〇年が経過し、官僚や経営者にも市場経済の考え方が浸透してきた。

ベトナムの人口構成の変化は急速である。合計特殊出生率は一九八〇～八五年に四・五と高水準にあったが、二〇〇〇～〇五年には二・三へと急低下しており、この低下速度は中国よりも速い。二〇〇五年のベトナムの高齢化率はすでに五・四％と、ASEANのなかでシンガポール、タイ、インドネシアに次いで高い。しかし、ベトナムの一人当たりGDPは二〇〇五年時点で七〇〇ドル程度でしかなく、中国やASEAN4よりも低所得で高齢化社会を迎えることになる。

二〇〇五年のベトナムの平均年齢は二十三歳とまだ若く、労働力人口の年平均増加率は二％と高い。国内貯蓄率も一九九一年の一〇・一％から二〇〇五年に三〇・二％に上昇した（図3-11）。ベトナムは労働投入量、国内貯蓄率の双方で人口ボーナスの効果を多分に受けている。さらに近年は中国への投資の一極集中を回避することを目的に、「チャイナ・プラス・ワン」として外国投資家に注目されている。二〇〇六年には外国直接投資認可額が一〇〇億ドルを突破した。これはＡＳＥＡＮ４と比べても遜色のない規模である。

図3-11　ベトナムの国内貯蓄率

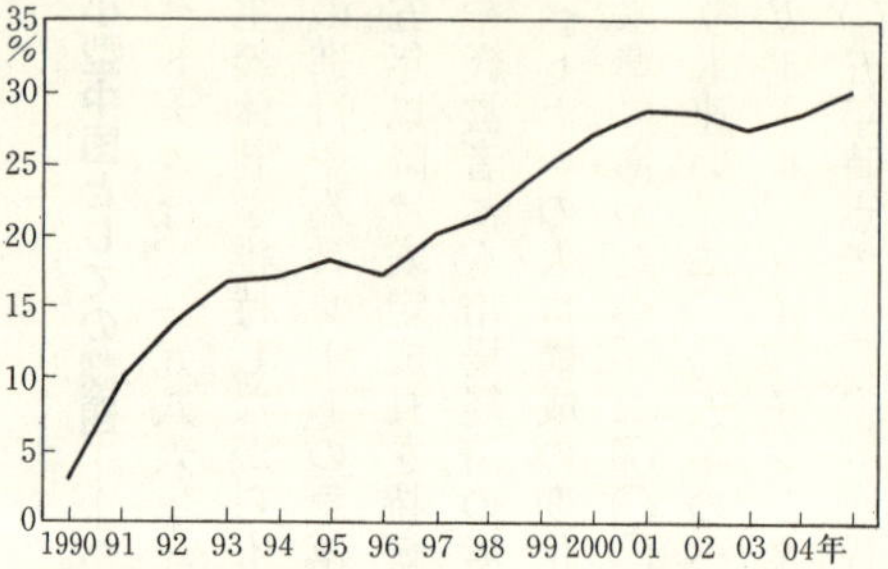

（出所）*ADB Key Indicators*

しかし、長期的視点に立つと、低所得水準のなかで出生率が低下し、人口ボーナスがスタートしたため、中国やＡＳＥＡＮ４と同様か、それ以上に深刻な課題を抱えている。工業部門のＧＤＰ比率は二〇〇五年時点で四一％とすでに高水準にあるが、就業人口比率は一二％にすぎない。反対にＧＤＰ比率が二一％しかない農業の就業人口比率は五七％に達する。

工業部門の雇用拡大のペースが遅いのは、工業の発展段階そのものが低いことに起因するが、中国と同様に、計画経済下での負の遺産として、民営企業の工業部門参入が阻害されてきたことも原因している。たしかに、二〇〇一年からは民営企業の設立をそれまでの認可制から登録制に変更したため、民営企業の設立数は、その一年間で一万件増加した。これはベトナム経済の潜在力を表すと同時に、それまでいかに民営企業の活動が制限されてきたかを示すものである。とくに、金融システムは国営商業銀行が中心となるものであり、その貸出は国営企業向けが大半で、現在もなお民営中小企業は資金不足の状態にある。また、設立の際の認可制は廃止されたものの、業種別の営業認可制が残り、民営企業の活動を規制する部分が依然として残っている。

ベトナムでは都市部に失業者が多く存在するため、地方からの出稼ぎは今のところ社会問題になっていない。しかし都市部での出生率の低下は著しく、労働力の供給にも限界があるため、近いうちに農村から労働者を調達しなければならなくなる可能性は高い。

IT国家の課題――インド

インドを人口爆発の国と捉え、人口ボーナスの議論は時期尚早と考える人は少なくない。たしかに、二〇〇五年のインドの合計特殊出生率は二・八と高いものの、一九八〇～八五年の四・五に比べれば低下している。一方、生産年齢人口の割合は一九八〇年の五七・四%から二〇〇五年には六二・七%へ上昇した。生産年齢人口の割合は二〇三五年頃まで上昇が続くと見込まれており、インドもまた人口構成上は人口ボーナスの最中にあるといえる。

インドは、戦後、政治体制としては議会制民主主義を採るものの、その経済政策は国家主導のきわめて計画性の高いものであった。なかでも自国生産を重視した輸入代替工業化政策を長期間実施してきたため、工業製品は輸出競争力を持たなかった。このようなインド経済は「ハイコストエコノミー」とも呼ばれた。八〇年代から市場経済化が徐々に進められたものの、一九六〇~九〇年の一人当たりGDPの伸び率は一・九%と低水準にとどまっていた。その結果インドは長い間「眠れる象」と呼ばれてきた。

一九九一年、湾岸戦争とその後の原油価格の高騰を受けた国際収支の悪化に加え、国際機関の支援と引き換えにコンディショナリティ（構造改革などの条件）の受け入れを背景に、規制緩和を中心とする「新経済政策」がスタートした。また、九〇年代半ばから世界がグローバル化とIT化（情報技術化）を加速させるなかで、インドの優れた技術者はソフトウェア開発の担い手として注目を浴びることになった。ソフトウェアの輸出額を含むサービス・所得移転は九五年の八八億ドルから二〇〇〇年には一八九億ドル、二〇〇五年には六六二億ドルに急増した。

その中心となるバンガロールは世界のソフトウェア産業の集積地として注目されるようになり、開発途上国においても最先端技術の集積地の形成が夢ではないことを証明した。最近では、中国、ブラジル、ロシアとともに「BRICs」として世界経済の新たな牽引役として期待されている。ちなみにBRICsはブラジル（B）、ロシア（R）、インド（I）、中国（C）の頭文字をとったものである。

IT産業の成長を軸とした経済発展も、都市部の若年高学歴者の増加によってもたらされたものと考えれば、人口ボーナスの効果といえる。しかしこれは高学歴者を対象とするもので、中国やASEAN4とは異なった人口ボーナスと捉えるべきであろう。インドの農業部門のGDP比率は二割を下回っているにもかかわらず就業人口では六割を占めている。これを吸収すべき工業部門が育っておらず、工業部門のGDP比率はここ一〇年間、二〇％と低水準にとどまっている。また、教育水準が他のアジアに比べて低く、二〇〇二年における十五～二十四歳の識字率は男性が八四％、女性が六八％であり、二十五歳以上となると男性が七三％、女性については四八％へ低下する。

アジア経済の行方

これまでみてきたことをまとめてみよう。

日本やNIESでは高齢化の影響が次第に大きくなる一方で、中国やASEAN4では、都市部が農村からの若年労働力を吸収することにより、しばらくは高成長を持続するであろう。したがってアジア地域の経済関係は、各国の都市住民の生産と消費のネットワークを基盤にさらに強化されていくものと思われる。またベトナムやインドの参入によりアジア地域の経済規模は拡大することも疑いない。しかし、持続性の観点では、都市部だけが牽引する経済は、いずれ限界に突き当たるといわざるをえない。

しかも高齢化の進展とともに国内貯蓄率は低下し、従来のような高水準を維持するのは困難になるだろう。日本やNIESでは生産性の向上により高齢化に対処しようとしているが、中国やASEAN4では中高年層の能力向上策を怠れば、国レベルでの生産性向上が阻害される可能性がある。

このようにみれば、アジア地域全体が今後も高成長を続けると楽観視することは許されない。

繰り返そう。これまでアジアでは、都市部の成長が農村へ波及していくという効果が機能してきた。しかし、都市部が農村の若年労働力を吸引し続けるならば、その効果は次第に薄れることになるだろう。本章で繰り返し述べたように、農村に都市部の発展が波及するためには、その受け手となる農村の中高年層の能力向上が不可欠であるが、そのための施策はほとんど実行されていない。二〇〇六年に世界銀行は『世界開発報告 二〇〇七』のタイトルを「経済開発と次世代」とし、若年者への投資の重要性を指摘したが、アジアでは、高齢者の予備軍である中高年層（とくにベビーブーム世代）の生産性を高めるような投資が求められているのである。

また、現在のように都市部だけが発展していくという成長は、グローバル時代の特徴であるとしても、各国政府は都市部だけを特別扱いすることは許されない。国家の一部分である都市部は、税制や社会保障を通じてその他の地域へ所得を再分配する義務を負う。所得格差が大きければ大きいほど、そして高齢者の負担が大きければ大きいほど、都市部は、農村の底上げのための所得移転を余儀なくされる。それを行なうのが政府の役割である。

高齢化にともなう社会保障の負担の行方は、都市部の成長を左右する要因ともいえる。次章では、高齢化の負担を社会保障制度の観点から考察する。

第4章　アジアの高齢者を誰が養うか

タイの農村の高齢者たち（写真提供／タイ社会開発・人間安全保障省高齢者エンパワーメント局）

本章では、高齢化が医療や年金などの社会保障制度にもたらす負担に注目する。負担という言葉は、重荷というニュアンスを持つため、適切でないかもしれない。長寿は多くの人に共通する幸福の一つであり、高齢社会の到来はその実現と捉えることができるからである。しかし、高齢者が安心して豊かな生活を送るためには、社会がそれ相応の負担を必要とすることも事実である。ここでは理想的な高齢社会を実現するための必要な費用として、「負担」という言葉を使う。

いずれの国においても高齢化にともない、医療や年金などの負担が増大する。加齢とともに疾病率が高くなるため医療費は増大し、生活を維持していくための費用として老齢年金が必要となる。さらに、介護サービスが必要になれば、それを受けるための費用が新たに発生する。しかし、これらの負担がどのような水準になるか、またそれを政府、企業、家計にどのように配分するかは、社会保障制度のあり方の問題となる。

政府が手厚い社会保障制度を構築したとすれば、高齢化が進むにつれて、政府の負担（財政負担）は急増することになろう。政府の負担を、増税や企業の福利厚生に過度に依存すれば、国民の労働意欲や企業の投資意欲を減退させてしまうかもしれない。他方、政府が社会保障制度整備を怠れば、身寄りのない高齢者や高齢者を抱える低所得家計の生活が困難になる。

高齢者の生活が自らの貯蓄や家族によって支えられるならば、社会保障費の増大はそれほど問題ではない。しかし、先進国でも、自らの貯蓄や家族の支援だけでは困難であり、現役世代からの所得移転が不可欠である。まして開発途上国が多く含まれるアジアにおいては、高齢化が加速するなかで、誰が高齢者を養うのかという問題が浮上することは間違いない。

そして高齢化の負担のインパクトは中国やASEAN4でより大きい。すでに高い所得水準にあるNIESの高齢化は、いわば「先進国における高齢化」として捉えることができる。そこでの議論は世代間で負担をいかに配分するかなど日本と共通したものである。しかし、中国やASEAN4では、負担を支える財源そのものが乏しい。また高齢社会を迎えるための制度整備も遅れており、人材は量、質ともに不足している。さらに、これらの国では、今後とも経済開発のためのインフラ整備や教育などに多額の資金を必要とするため、社会保障費の増大は開発資金の調達にも影響を及ぼす可能性がある。そして最も重視したいのは、高齢化への対処が遅れれば、高齢者の生存リスクを高めてしまう危険性である。これらの観点から中国やASEAN4の高齢化は、「開発途上国における高齢化」という新しい問題として捉えるべきと考える。

本章では、まずアジアにおける社会保障制度の特徴を確認し、近年、制度構築に向けた機運が高まっていることを示す。その上で、医療と年金への対応が、量と質の面でどのように変化するのかを概観し、この負担を賄えない場合、開発途上国では高齢化と貧困が重なる「人間の安全保障」にかかわる問題が現出することを指摘する。さらに、タイの年金制度整備を例に、開発途上国ではいかに社会保障制度の構築が難しいかを示す。

1 アジアの社会保障制度

機運の高まり

近年、アジアでは社会保障制度構築に向けた機運が高まっている。

これまで、アジアではその経済発展に比較して社会保障制度の整備は遅れているといわれてきた。たしかに、韓国で国民皆年金制度が整備されたのは一九九九年であり、台湾では二〇〇二年と、つい最近のことである。中国やＡＳＥＡＮ４では国民皆年金制度どころか国民皆医療保険制度さえも完備されていない。

その背景には、各国政府が「開発主義」と呼ばれる体制を志向してきたことがある。開発主義とは、末廣昭『キャッチアップ型工業化論』（二〇〇〇年）によれば、「個人や家族あるいは地域社会ではなく、国家や民族の利害を最優先させ、国の特定目標、具体的には工業化を通じた経済成長による国力の強化を実現するために、物的人的資源の集中的動員と管理を行う方法」のことである。

つまり、国家は工業化による国力強化に集中するかたわら、社会保障的機能はもっぱら家族や地域の相互扶助《ふじょ》機能に任せてきた。アジアで家族や地域が社会保障機能を発揮できたのは、長い歴史のなかで培われた伝統社会があったことに加えて、経済成長の果実が農村まで着実に伝わるという「トリクルダウン（trickle down）」の効果を政府が期待し、部分的であれ、その効果が働いていたからである。また、寺院やモスク、教会などが果たした役割も大きい。

ところで社会保障制度の歴史はそれほど古いものではない。社会保障制度は一八世紀後半にヨーロッパで生まれた。それ以前は、ヨーロッパにおいても、家族やコミュニティの相互扶助が実質的な社会保障の機能を担っていた。しかし、経済発展のなかで都市部に住む人が増え、企業で働く労働者が増加するなかで、従来のコミュニティの相互扶助は後退し、社会はこれを代替する制度を必要とし、それに国が対応した。これが、社会保障制度が誕生した背景である。

この点は、アジアにおいても同様であり、近年の社会保障制度構築に向けての機運の高まりの背景には、経済発展にともなう社会構造の変容がある。第1章で述べたように、アジアの世帯形態は大家族から核家族へと移行しており、都市化も加速している。また、第3章でみたように農村からの出稼ぎ労働者は、その後も都市部にとどまり続けている。都市には農村のような相互扶助機能はなく、疾病や失業のリスクを軽減する制度が必要となった。

アジア各国の社会保障制度

アジアで社会保障制度整備が遅れているとはいえ、各国には政治体制、経済構造、文化・社会的要因などを反映したさまざまな制度がある。

たとえば、社会主義体制をとる中国やベトナムでは、農村部に独自の医療保険制度を設けるなど他の国に比べてカバー率の高い制度が存在した。シンガポールやマレーシアには旧宗主国である英国の影響を受けた強制年金基金がある。

表4－1　アジアの社会保障制度

	社会保障制度の現状と課題	所得水準	産業構造	人口構成の変化
第1グループ (日本、韓国、台湾、香港、シンガポール)	全国民を対象とした社会保障制度を有するが、今後の高齢化にともなう持続性維持が課題	高所得	サービス経済化への移行	少子化 高齢化
第2グループ (マレーシア、タイ、フィリピン、インドネシア、中国)	被雇用者向けの制度は有するものの、農業・自営業者を含めた国民皆医療保険、国民皆年金制度の構築が課題	中所得	工業化の途上	出生率の急速な低下
第3グループ (ベトナム、インド、ラオス、カンボジア、ミャンマー)	公務員・軍人に限定されたもので、民間企業被雇用者向け制度が整備される段階	低所得	工業化のスタート	出生率に低下の兆し

(出所)広井良典・駒村康平(2003)『アジアの社会保障』東京大学出版会を参考に加筆

また、いずれの国においても、貧困政策が実質的な社会保障制度の機能を代替してきた。

このようにそれぞれの国の社会保障制度は多様であるが、経済発展と社会変容の観点に立てばアジアの社会保障制度は次の三つのグループに区分できる（表4－1）。

第一グループは、経済発展の度合いが高く、少子化が進み、高齢社会にあるか移行直前の国々である。日本とＮＩＥＳがこれに相当する。一人当たり所得は一万ドルを超え、産業構造は、第二次産業から第三次産業へシフトするサービス経済化の過程にある。人口動態面では、合計特殊出生率が一・五を下回り、少子化が社会問題になっており、高齢化率は急速に上昇する傾向にある。社会保障制度としては全国民を対象とした医療保険・年金制度がほぼ整備されており、今後は、急速な高齢化に対応できる持続的な制度へのシフトが議論されている。

第二グループは、経済発展の段階は工業化の途上にある国々で、中国とASEAN4がこれに相当する。一人当たり所得水準は一〇〇〇〜五〇〇〇ドルの範囲にある中所得国(middle income country)であり、産業構造は第二次産業が中心であるが、就業人口ではマレーシアを除き、農業部門が大きな比重を占める。人口構成はまだ若く、高齢化率も低い。しかし近年では都市部だけでなく、農村においても出生率の低下がみられ、今後高齢化の加速が予想される。公務員や軍人、国営企業従業員など公的部門と、民間企業の被雇用者を対象とした社会保障制度はあるが、就業人口の大半を占める自営業者や農業従事者は対象の外にある。すなわち全国民を対象とした国民皆医療保険や国民皆年金制度の構築が今後の課題となる。また、高齢化の準備として年金資金の積み立てを始める時期である。第一グループと比較すると、所得水準がまだ低いため、社会保障制度構築の拡充は困難で、選択肢はあまり多くない。

第三グループは、経済発展および工業化自体が初期段階にあり、人口動態では、出生率の低下はみられるものの総じて高く、まだ人口増加に悩まされる多産少死の国々である。ベトナムとインドがこれに相当する。一人当たり所得水準は一〇〇〇ドル以下と低く、低所得国(low income country)に分類される。社会保障制度の対象は、公務員・軍人や国営企業従業員など公的部門に限定されている。当面は貧困政策が社会保障制度の中心を占めるが、今後、工業化や都市化が進んでいくなかで、徐々に増える都市部の民間企業の被雇用者を対象とする制度の整備が課題となる。

社会保障制度という言葉から我々が想像するのは、国民が安心して生活を送ることを保障するための制度であるが、第二グループや第三グループは、貧困の救済または予防が主な目的となる。たとえば医療保険制度は傷病を理由に貧困に陥るリスクの回避を目的とし、所得保障で優先されるのは貧困者の生活費を賄う公的扶助である。

中国やＡＳＥＡＮ４では経済発展や社会構造の変化が急速であったため、社会保障制度のニーズも多岐にわたっている。たとえば、農村では貧困対策として医療サービスや公的扶助が必要となる一方で、都市部では工業化にともなって増大する労働者の保護を目的とする医療保険、失業保険などの整備が求められ、そして今後は、高齢化にともなう高齢者医療や老齢年金の制度の準備を急がねばならない。

民主化運動のインパクト

社会構造の変容のほかにも、国内では民主化を通じての福祉政策に対する要請が、国外からは国際機関による社会的弱者保護の観点に基づく支援強化が、社会保障制度整備を後押ししている。

韓国では、開発主義体制のなかで長年「先成長・後分配」を柱とする政策が採られてきた。一九七三年には「国民福祉年金法」が制定されたものの実施にはいたらなかった。一九八七年に全斗煥《ジュンドファン》政権が「民主化宣言」を発表し、大統領の直接選挙制を導入した。同年には労働争議が全国に広がり、福祉に対する政府の役割が議論された。一九八八年に入って「国民年金法」が制定された。当初は一〇人以上の従業員を雇用する企業に適用されるものであったが、一九九九年には五人以上の企業に拡大された。さらに一九九七年の経済危機により、大量の失業者が発生して社会が混乱したことを背景に、成長優先の政策そのものへの見直しが始まった。金大中《キムデジュン》政権は、経済開発と社会福祉は対立するものではなく、豊かな国民生活を実現する両輪であるとする「生産的福祉」というスローガンを掲げ、社会保障制度の整備を急いだ。その結果、一九九九年に都市住民のすべてを対象とする国民皆年金制度が達成された。

中国やＡＳＥＡＮ４でも、社会保障制度構築の背景には民主化運動の高まりがある。

中国は「先富論」により所得格差を認めることで高成長を持続してきた。しかし二〇〇〇年以降、地域間所得格差の拡大が政治問題へ発展し、「先富論」は堅持されるものの社会的弱者の救済を政府の役割とみなす動きがでてきた。二〇〇二年三月に第九期全人代第五回会議の政治報告のなかで国務院が「社会的弱者（弱勢群体）」という概念を提示し、同年十一月の中国共産党第一六回全国代表大会において江沢民《こうたくみん》総書記（当時）は、「社会保障制度」を「社会の安定と国家の長期安定の重要な保障」と位置づけた。

これを受けて二〇〇四年三月に公布された憲法は、第一四条に「経済の発展水準に対応する社会保障制度を建立し、健全にする」と書き加え、第三三条に「国家は、人権を尊重し保障する」と、社会保障に対する政府の役割を明記した。さらに、二〇〇四年に北京で開催された「国際社会保障協会第二八回大会」において、中国国務院新聞（報道）弁公室は、「中国的社会保障状況和政策白皮」（中国の社会保障状況と政策に関する白書）という社会保障に関する白書をはじめて発表した。そして現在は、都市と農村の所得格差拡大を市場化の「負の側面」として捉え、全国民を対象とする社会保障制度を通じての所得再分配機能が議論の焦点になっている。二〇〇六年三月に開催された全人代（国会）では第一一次五カ年計画が採択されるとともに、農村の社会保障制度をどのように整備するかが議論になった。

タイでは一九九一年の軍事クーデター、九二年の「五月流血事件」の流れをうけて政治民主化運動が活発化した。国民の政治参加や政治家の汚職防止が議論される一方で、社会的弱者を含めた「人間の尊厳」に対する議論が高まった。民主化運動の成果として九七年に制定された憲法では、第四条に「人間の尊厳、個人の権利と自由は、当然のものとして保護される」と明記され、第三章「国民の権利と自由」(第二六〜六五条)が大幅に書き加えられた。

とくに興味深いのは高齢者について、第五四条で「六十歳以上で十分な収入のない者は、法律の規定に従って政府の支援を受ける権利を有する」と具体的に規定したことである。他方、政府に対しても第八〇条で「政府は高齢者、貧困者、障害者、その他の社会的弱者に対し、生活の質を維持し、自立を促す支援を講じなければならない」と政策の立案と実施を義務づけた。この憲法改正を受けて、一九九九年には民間企業の被雇用者向け年金基金が設立され、二〇〇四年には高齢化政策の基本となる「高齢者に関する法律」が制定された。

世界銀行のソーシャル・プロテクション

国連や世界銀行、アジア開発銀行などの国際機関からの働きかけも、社会保障制度構築を後押しする力になっている。

国連や世界銀行の福祉政策支援は、一九七〇年代に都市部の労働者を保護するという観点から始まった。その後、開発途上国の規制緩和を中心とする経済改革支援(構造調整プログラム）が始まると、これを補完する「ソーシャル・セーフティネット（Social Safety Net）」と呼ばれる社会政策が登場した。

「セーフティネット」の語源は、サーカスの空中ブランコで、万が一落下した場合に備えて張り巡らされている「網（ネット）」のことである。つまり国際機関の構造調整プログラム（規制緩和を中心とする経済改革）が実施される過程で発生する失業者などに対処する一時的な所得補償や医療支援を指し、経済面での規制緩和策の遂行を補完する「社会政策」と位置づけられたのである。これは一九八〇年代に中南米の累積債務問題に対して実施された構造調整プログラムが、社会とくに貧困層に多大な負担を強いたことへの反省に立ったものであった。そして九〇年代にロシア・東欧での市場経済への移行政策やアジア地域での通貨危機後の構造改革を支援するなかで、社会政策的側面は一層重視されるようになった。

さらに、二一世紀を迎えるにあたって、国連が貧困撲滅を目標とする「ミレニアム開発目標」（MDG：Millennium Development Goals）を掲げたことを受けて、国際機関の開発途上国への社会政策の対象は、貧困者、高齢者、障害者、労働者、子供、女性を含む社会的弱者全体に広げられた。また、これら対象者をさまざまなリスクから事前に保護する「ソーシャル・リスク・マネジメント」支援が重視されるようになった。

これ以降の社会政策は、ソーシャル・セーフティネットに対して「ソーシャル・プロテクション（Social Protection）」、つまり「社会保護」と呼ばれる。二〇〇一年に世界銀行が、『ソーシャル・プロテクション・セクター・ストラテジー（*Social Protection Sector Strategy*）』、二〇〇三年にはアジア開発銀行が『ソーシャル・プロテクション・ストラテジー（*Social Protection Strategy*）』をそれぞれ発表した。国際機関によってその内容は異なるものの、児童、女性、労働者、障害者、そして高齢者を含む社会的弱者の保護を対象とし、社会保障制度整備支援に重点を置いた点で共通している。言い換えれば、社会政策が一時的なリスクに対応するソーシャル・セーフティネットから、より恒久的な福祉政策支援へと政策目標を移行させたと捉えることができる。

二〇〇三年には、わが国においても、国際協力機構（JICA）が同様の観点から研究会を発足させ、その成果として『ソーシャル・セーフティ・ネット支援に関する基礎調査』報告書を発表している。名称はソーシャル・セーフティネットとなっているが、内容は開発途上国の社会保障制度全般にわたるもので、日本が自らの経験を通じて開発途上国に果たすべき役割は何かが議論された。

さらに二〇〇二年に、スペインのマドリッドで第二回高齢化に関する世界会議が開催されたことの影響も小さくない。同会議では、①高齢者と開発、②高齢期に至る健康と福祉の推進、③支援活動と支援に資する環境整備を柱とする「高齢化に関するマドリッド国際行動計画二〇〇二」が採択され、世界全体が高齢化問題に協力して取り組むことが確認された。これによって、高齢化問題は先進国に特有な問題ではなく、開発途上国を含めた世界的な問題「グローバル・エイジング（Global Ageing）」として捉えられるようになった。

2　社会保障制度構築の課題

医療負担の増大

社会保障制度構築への機運は高まっているものの、その実現は容易ではない。安易な社会保障制度の設計は、今後の高齢化を勘案すれば、将来の財政負担急増の原因になるからである。この点で日本の経験は、アジア諸国の社会保障のあり方を考える上で重要な視点を提供している。

このことを医療負担から検討してみよう。

社団法人全国病院協会によれば、二〇〇四年度の日本の医療費総額は三二兆一〇四六億円であった。このうち六十五歳以上の人口は全体の一九％であるにもかかわらず、高齢者に対する医療費は医療費全体の五一・一％を占めている。

一人当たりの医療費を年齢別にみると、〇～十四歳は年間一二万円、十五～四十四歳は一

図4－1　医療費の変化（人口動態のみ）

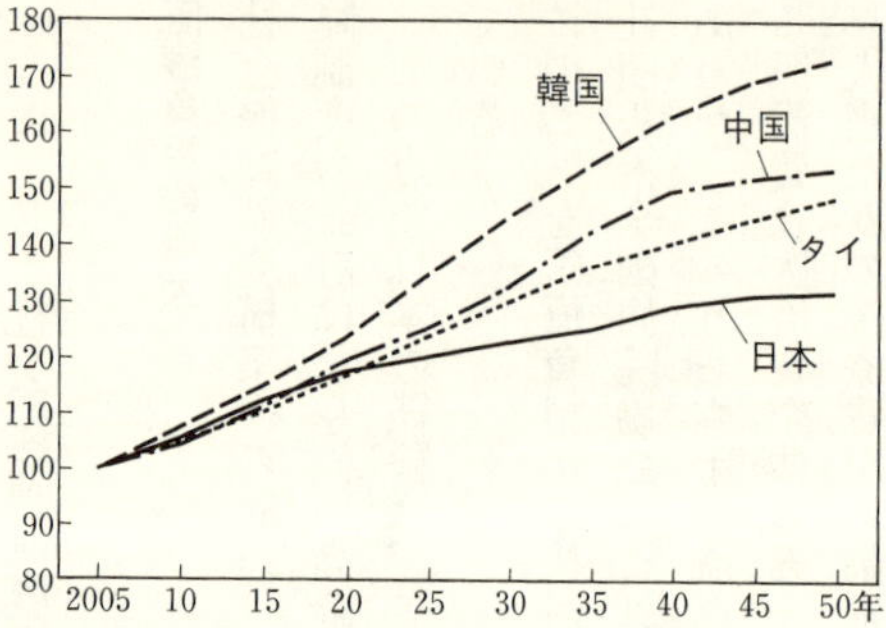

（出所）筆者作成

〇万円、四十五～六十四歳は二四万円、六十五歳以上が六四万円となっており、六十五歳以上の医療費は十五～四十四歳の六倍以上となっている。高齢者でも七十歳以上になると七三万円、七十五歳以上では八二万円とさらに上昇する。

このような年齢層による医療費の差は、各国の疾病構造や医療サービスの現状、医療保険のあり方などによって異なるものの、六十五歳以上の医療費が他の年齢層に比べて高くなることは疑いない。

次に日本の例を参考に、人口構成の変化によってアジア各国の医療費がどのように変化するかをみてみよう。図4－1は、日本、韓国、中国、タイを対象に、二〇〇五年を一〇〇とした場合の変化をシミュレーションしたものである。

人口構成の変化を考えただけでも、韓国、中国、タイの医療費は年平均約二％増え続ける。日本の伸び率が最も低いのは、日本がすでに相当の高齢社会にあり、二〇〇五年時点の医療費が高水準にあるためである。それでも同期間に年平均一％上昇する。

実際の医療費は、医療保険の改善や新しい医療技術の導入、医療サービスの多様化などによっても増加する。これは「医療技術進歩率」といわれ、たとえば日本の推計では年率二％の水準がよく使われている。これを加味すれば、韓国、中国、タイの医療費は今後二〇年に年率約四％も上昇し続けることになる。

疾病構造の変化と医療保険制度

次に医療サービスの変化についてみてみよう。医療サービスが経済社会の発展とともにその内容を変化させることに着目したものとして「健康転換（Health Transition）」という興味深い考え方がある。広井良典は『アジアの社会保障』（二〇〇三年）のなかで、健康転換を紹介するとともに、これに対応した医療保険のあり方を整理している（次ページの表4－2）。

この健康転換は、開発途上国は次の三つの疾病構造を移りわたっていくと想定したものである。

疾病構造の第一相は、チフス、コレラ、天然痘など感染症が主体となる段階である。人口動態では人口爆発の時期にあたり、年少人口が多い。感染症の原因は病原菌そのものにあり、不潔な衛生環境により媒介される。これを防ぐためには、個人の努力よりも、政府が主導者となって予防接種や保健所の整備などを通じて衛生水準の向上を図る必要がある。この第一

表4－2　疾病構造の変化と医療保険制度のあり方

疾病構造	医療・福祉システム		産業構造（主体）	人口動態
	財政	供給		
第1相 感染症 ↓	公衆衛生施策（公共財）	プライマリーケア&保健所整備等	農業	人口爆発期
第2相 慢性疾患 ↓	医療保険制度（被雇用者 → 農業・自営業者への拡大）	病院中心：医療&施設	労働集約型産業	人口ボーナス期
	「企業&核家族」を単位とする社会保障		資本集約型産業	
第3相 老人退行性疾患	高齢者の医療・福祉を統合したシステム	福祉&在宅へのシフト	サービス産業	人口高齢化期
	「個人」を単位とする社会保障へ			

（出所）広井良典・駒村康平（2003）『アジアの社会保障』東京大学出版会を加工

相においては政府（財政）が担うべき役割は大きい。

第二相は、疾病構造の主体が慢性疾患へ移る段階である。人口動態でいえば人口ボーナスの時期に相当し、生産年齢人口が多い。死因では脳卒中、悪性新生物（いわゆるガン）、心臓病などが上位を占めるようになる。このような慢性疾患は「生活習慣病」とも呼ばれ、その原因は個人自らの健康管理に依存するところが大きい。したがってその予防、治療については、個人自らが一部を負担するという「医療保険」が重視される段階といえる。感染症に比べ慢性疾患の治療には高度な医療技術が必要で、一定の期間を必要とする。第二相に移った開発途上国では、医療サービスを提供する病院などインフラの整備、医師や医療技術士などの人材育成とその確保が重要となる。第一相と同様に、政府は引き続き重要な役割を果たすが、民間の医療機関の役割も大きくなる。

第三相は、疾病構造の主体が、さらに慢性疾患から老人退行性疾患へと医療の重点が移る段階である。人口動態では高齢化の時期に相当する。先にみたように高齢者に対する医療費は国民医療費全体の急増を招く。慢性疾患よりもさらに高度で、かつ精神面でのケアを含めた複合的な医療技術が必要となり、治療期間は長期化する。さらに「介護」という、疾病の治療というより本人の生活の支援という福祉面が重要になる。日本は第三相のなかにあり、NIESはまさに第三相に移る段階にある。日本では二〇〇〇年から介護保険が実施され、韓国や台湾でも高齢者介護をいかに行なうかが議論になっている。

これに対して、中国やASEAN4は第二相にある。二〇〇三年におけるタイの死因をみると、エイズを除けば、第一位が悪性新生物、第二位が不慮の事故、第三位が心臓疾患と先進国のそれとほとんど変わらない。右の健康転換の枠組みに沿って考えると、中国やASEAN4に共通して求められている医療サービスは、国民全体を対象とした医療保険制度（国民皆医療保険制度）の導入であり、それを支える病院インフラの整備・充実といえる。

しかし、現実には「健康転換」の議論が示すほど、疾病構造の変化は単線的ではなく、また明確なものでもない。たとえば、農村ではいまだ感染症への対応が不可欠であり、都市部では所得の上昇と生活スタイルの変化を背景とする慢性疾患が増え、全国レベルでは高齢者医療、そして高齢者福祉への要請が高まるというように、国内において地域別や所得別に疾病構造が異なっているからである。開発途上国政府は、これらすべての相に対応していかなければならないが、加えて近年ではSARS《サーズ》（重症急性呼吸器症候群）や鶏インフルエンザなど、広域に波及する感染症にも対処する必要が出てきた。このような重層的な疾病構造を考えると、開発途上国においては医療サービスを提供する施設や人材など、供給面での制約にどう対処するかという問題があることがわかる。

すでに賄いきれない年金負担

次に年金負担について検討しよう。

医療負担と同様に年金負担の推計は困難である。先進国の年金負担を推計する際には、通常は現行制度の給付水準を前提として、高齢化により追加的に発生するコストを計算する方法を取るが、中国やASEAN4では年金制度が未整備であり、これから整備が図られることになるため、前提とする給付水準を設定することが難しいからである。

そこで、高齢者の生計維持のための負担がどのくらいの規模になるかについて簡単に見積もってみよう。ここでは、高齢者（六十五歳以上）に一日五ドルの生活手当てを給付するとしよう。世界銀行が貧困の目安としているのが一日一ドルもしくは二ドルなので、この給付額は貧困線以上の生活を想定している。これを高齢人口に乗じて、高齢者の生活給付としてみよう。

一日一人当たり五ドルに三六五日を乗じた一八二五ドルを年間の高齢者の手当てとする。たとえば、二〇〇五年の中国の高齢者は一億人であるから、一八二五億ドルとなる。これは同年の中国の歳出の四〇%に相当する。しかも今後、二〇二〇年には三〇九〇億ドル、二〇四〇年には五八三〇億ドルと急増する。タイでも同様に試算すると、二〇〇五年には八三億ドルと歳出の二四%に相当し、二〇二〇年には一四五億ドル、二〇四〇年には二五五億ドルに膨らんでいく。

さらに同様のことをアジア全体でみると、二〇〇五年が三三八九億ドルで同年の台湾の名目GDPとほぼ等しく、さらに二〇二〇年には六三八四億ドル、そして二〇三〇年には八八五七億ドルとなる。二〇二〇年では二〇〇五年のASEAN4の名目GDPの合計に匹敵する巨額な数字となる（図4-2）。

図4-2　高齢者の生活負担

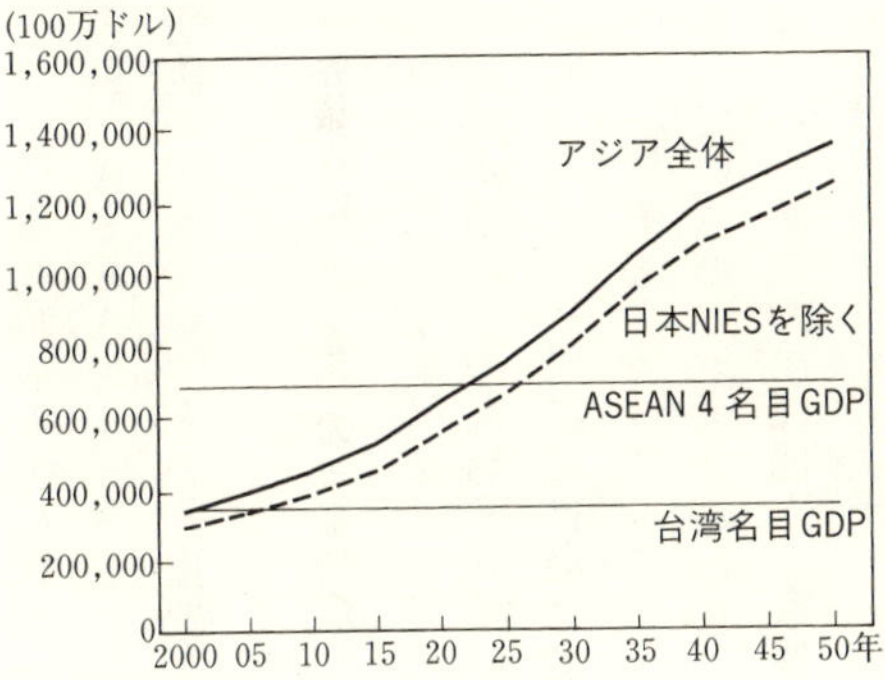

(出所) 国連人口推計をもとに試算

このような高齢者の生活負担の内訳では、日本やNIESの割合は小さく、そのほとんどが中国、ASEAN4、ベトナム、インドという開発途上国のものである。「アジアの高齢者を誰が養うのか」という重要な課題が浮上してくる。

世界銀行による五つの年金制度

このような負担にもかかわらず、高齢者の生活負担が表面化していないのは、開発途上国では家族が高齢者の世話・介護の担い手になっているからである。しかし、本書で何度も指摘したように、アジアでは経済発展が進む過程で家族構造は大きく変わり、核家族化の進展から、一人暮らしや身寄りのない高齢者が増えてきている。政府には高齢者保護の対策が要請されているのである。ただし、これらの負担は、すべて政府(社会保障制度)が負うものではない。基本的には個人、家族、地域、企業などが政府とともに負担すべきコストである。それにはどのような方法があるのだろうか。

ここでは、開発途上国の老齢年金制度改革に最も積極的に取り組んできた世界銀行による分類をみておこう。世界銀行は長年の経験から、表4-3に示したように老齢年金(所得保障)を五つの層に区分している。このうち第〇層と第四層は、後に世界銀行が追加したものであるので、ここでは当初の枠組みであった三つの層(第一層から第三層まで)の説明から

表４－３　世界銀行の老齢年金（所得保障）の５つの分類

層		対象者		
		貧困層	インフォーマル	フォーマル
第０層	公的扶助	◎	○	△
第１層	公的年金制度（賦課方式）			◎
第２層	強制積立方式			◎
第３層	任意積立方式	△	◎	◎
第４層	家族や地域の支援	◎	◎	△

(注)◎、○、△は効果を示す。
(出所)Robert Holtzmann and Richard Hinz(2006), *Old Age Income Support in the 21st Century,* World Bank

始めたい。

第一層は、税を財源の中心とする公的年金制度などの「賦《ふ》課《か》方式」であり、年金の原資は現役世代からの所得移転である。この方式は、人口構成の変化の影響を受けやすく、とくに高齢化の過程では現役世代の負担（税負担）が急速に膨らむという特徴を持つ。

第二層は、「強制積立方式」であり、加入者が勤労期に拠出・貯蓄し、それに応じた給付を受けるものである。財源となる基金は、企業（雇用主）と被雇用者が共同で拠出するのが一般的である。この方式は、人口構成の変化の影響は小さいものの、物価や賃金の上昇など経済変動の影響を受けやすい。たとえば、物価が上昇した場合、積立金の価値は目減りし、実質的な給付水準が低下してしまう。この積立方式は、給付をあらかじめ確定した「確定給付方式」と、給付は拠出金の運用益を加味して決める「確定拠出方式」の二つに区分される。

第三層は、「任意積立方式」である。加入者が勤労期に自らの意思で拠出・貯蓄し、それに応じた給付を受ける。拠出金は債券・株式など価格が変動するリスクをともなう資産に運用されることが多い。

第一層から第二層、第三層に向かうにしたがって、政府の役割は縮小し、反対に個人の責任が増す。広井良典は『日本の社会保障』（一九九九年）のなかで、福祉国家の類型として「公助」「共助」「自助」の概念を用いたが、これに沿えば、第一層は、社会全体が高齢者の生活を支えるとの意味で「公助」、第二層は、雇用主と被雇用者の双方の拠出を資金源にすることから「共助」、第三層は、自己責任を原則としているため「自助」という捉え方もできる。

この三つの層は、一九九四年の『高齢化リスクの回避（*Averting the Old Age Crisis*）』のなかで世界銀行の経験に基づいて示されたものである。同書では、実際の取り組みは、三つの方式のいずれかを選択するというのではなく、各国の環境に合わせて組み合わせるべきという「多層モデル（multi-pillar model）」を提唱している。

しかし、その後の事態の進展と批判を経て、世界銀行は高齢者の所得を保障する手段として、二〇〇六年の『二一世紀の高齢者所得支援（*Old Age Income Support in the 21st Century*）』のなかで以下の二つを追加した。

ひとつは、第〇層の「公的扶助」である。高齢者のなかでもとりわけ自立的な生活が困難な者に優先的に所得補償を行なう必要があるとの視点に立ったものである。もうひとつは、第四層の「家族や地域の支援」で、これは金銭面だけでなく、さまざまな地域活動を通じた高齢者の生活支援を指している。とくに伝統的社会の相互扶助の慣行が存続していると想定される開発途上国では、これを活用すべきであるという視点である。

表の右側に対象者別に各層の効果を示しておいた。これをみると、新しく付け加えられた第〇層と第四層は、貧困層とインフォーマルセクターへの効果を世界銀行が期待していることがわかる。これは、ミレニアム開発目標の設定により、国際機関の貧困削減への取り組みが強化されたことが大きな影響を与えている。

年金制度改革の政治学

年金制度は前述のように、まず公務員や軍人、国営企業の従業員に適用され、その後、民間企業の被雇用者に拡大され、最後に自営業者や農業従事者を含めた国民皆年金制度が実現するという段階を踏んで進む。

このような段階を踏んで年金の対象を拡大すると同時に、それぞれ異なる年金制度の相互関係をどのように調整するかという作業が必要となる。一般的に、公務員や軍人、国営企業の従業員向けには税金を財源とする手厚い年金制度がある。他方、民間企業には財政による支援もあるものの自らの積立金を基礎とした制度が主に適用される。そして自営業や農業従事者には、彼らの所得水準が低い上に不安定であるために、政府の支援が大きい賦課方式によらざるをえない。この際に厚遇された公務員向け年金制度との調整が重要な課題となる。

政府が公務員の年金給付を引き下げるのは容易ではない。手厚い公務員への給付水準を前提に、国民皆年金制度を構築すれば、高齢化の進展にともない財政負担が急増することは疑いない。それとは反対に、手厚い年金制度を維持しようとすれば、財政負担となる国民皆年金制度の構築を先送りする可能性も十分にある。

このように年金改革には、その負担が持続可能かどうかという財政的観点とは別に、きわめて政治的な力学が働く。国民皆年金制度をいかに設計するかという段階にある中国とASEAN4は、このような政治力学に悩まされることになろう。

中国では二〇〇六年の全人代（国会）で都市部と農村を区分しないことが明言された。これは所得格差の是正に向けた政策実施への意思表示である。所得格差から発生する政治的リスクを回避するために、年金制度が政治的交渉のツールとして使われ、増大する財政負担という経済リスクが発生する可能性がある。

高齢化問題と人間の安全保障

高齢化の財政負担が大きいからといって、社会保障制度の構築をいつまでも先送りすることは許されない。開発途上国における社会保障制度の先送りは、高齢者の生命を脅かす危険性を含んでいるからである。この点を「人間の安全保障」の観点からみておきたい。

「人間の安全保障（Human Security）」という言葉は、あるいは読者にとって聞きなれない言葉かもしれない。ここでは一九九八年に小渕恵三《おぶちけいぞう》首相（当時）が「第一回アジアの明日を創る知的対話」で示した、「人間の生存、生活、尊厳を脅かすあらゆる種類の脅威を包括的に捉え、これらに対する取り組みを強化する考え方」としておきたい。

この高齢化と人間の安全保障との関係を、もう一度、第3章で紹介したライフサイクル仮説モデルを用いてみておく。ここでは理解を助けるために、人口爆発期にある国（次ページの図4-3）、高齢社会にある国（一六三ページの図4-4）の二つの場合のライフサイクル仮説モデルを比較して説明する。所得と消費の格差が所得不足と余剰を示す。人口爆発期には年少人口の層で、高齢社会では高齢人口の層で所得不足が大きくなる。人口爆発期にある国では、国内貯蓄率が低く、その不足分を海外資金によって賄うため国際収支は悪化する。年少人口の所得不足分をそれでも賄えない場合、とくに基本的な消費が困難になった場合、年少者の生命が危機にさらされることになる。これは年少者の生存を脅かすことを意味し、

図4-3　人口爆発期のライフサイクル仮説モデルと人口ピラミッド

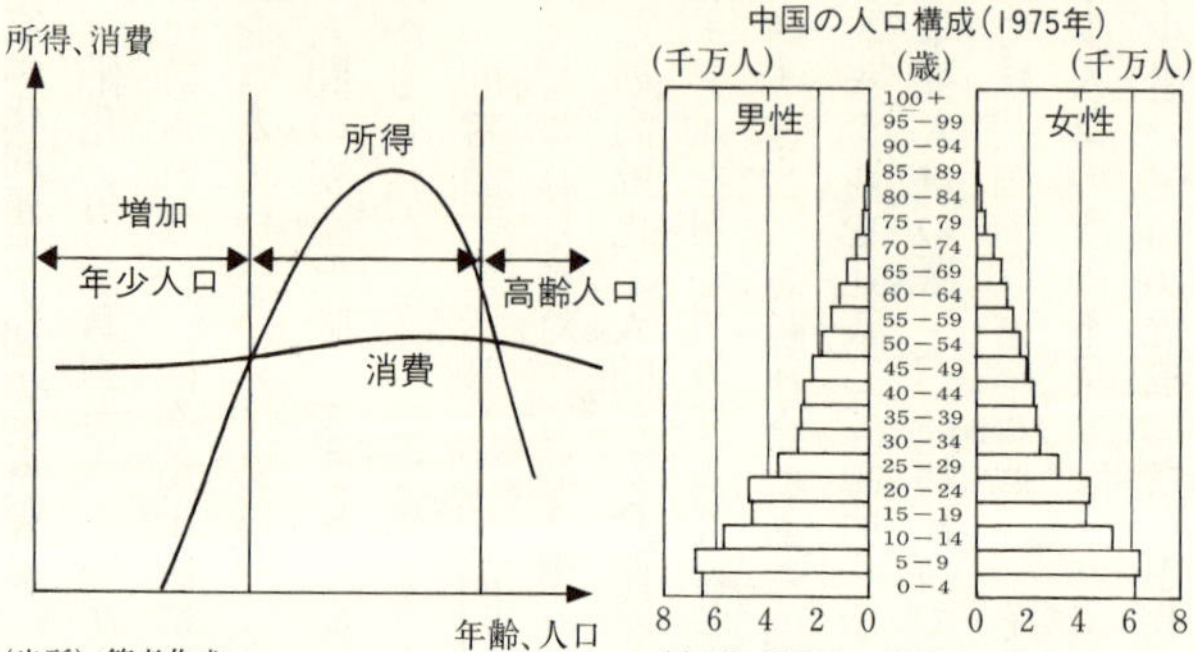

(出所) 筆者作成

(出所) 国連人口推計より作成

国際社会は「人間の安全保障」の観点から支援を行なう。

これと同様に開発途上国の高齢化を考えてみよう。今後、高齢者が増えるが、開発途上国の高齢者の多くは勤労期に十分な貯蓄を積み立てているわけではない。したがって、高齢者の所得と消費のギャップは、社会保障制度などを通じて、高齢者の所得を移転することによってしか補塡できない。しかし、現役世代の所得水準が高齢者の資金不足を賄うのに十分でない場合も考えられる。

このことを生産年齢人口と高齢人口の割合からみてみよう。中国では二〇〇五年には一人の高齢者を九人で支えていたが、二〇二〇年には六人、二〇三〇年には四人へと減少する。つまり、それだけ現役世代一人当たりの負担が増加することになる。これは合計特殊出生率が一・八五で安定するという中位推計によるもので、現在一・八にある出生率が今後も低下を続ければ、高齢者を支える生産年齢人口はこれより少なくなる。

図4－4　人口高齢化期のライフサイクル仮説と人口ピラミッド

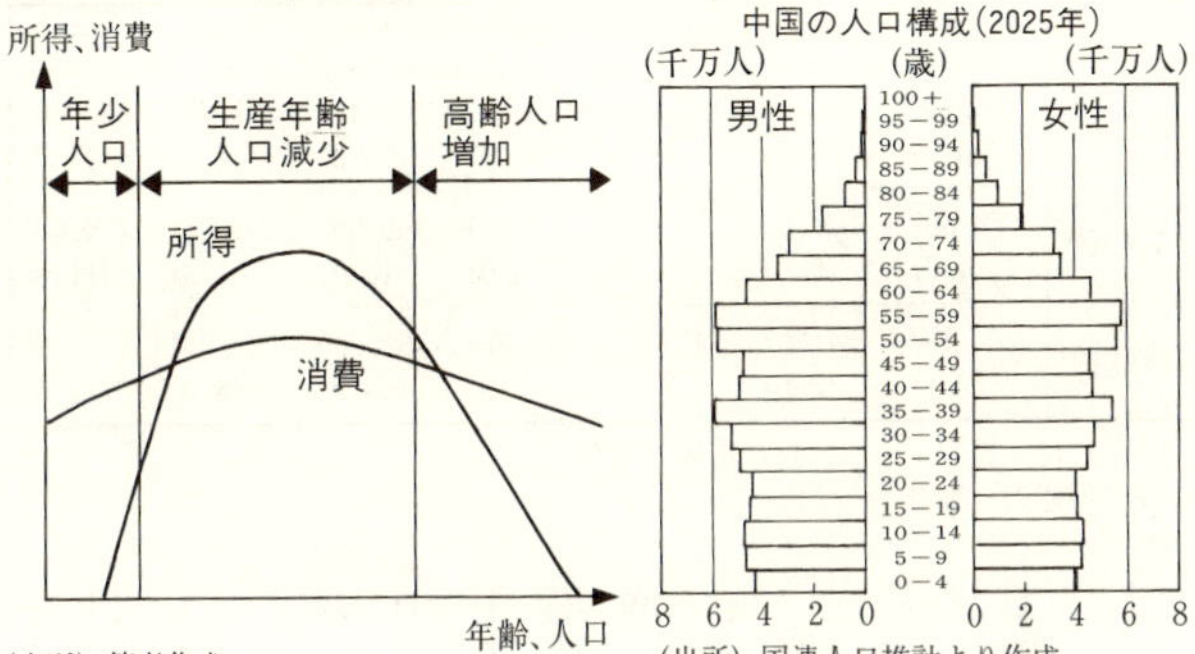

（出所）筆者作成

（出所）国連人口推計より作成

その場合には人口爆発期と似た問題が生じる。つまり基本的な消費が困難になった高齢者の生命が危機にさらされることになる。このような高齢者の救済は「人間の安全保障問題」として捉えるべきである。

もちろん、年少者と高齢者では社会への対応は異なる。高齢者のなかには自らの努力で所得を生み出し、あるいは社会に参加することで生活を維持することができる人々も多数いるからである。その意味では、すべての高齢者を社会的弱者とみなすのは適切ではない。近年の高齢化に対する視点のなかで、「活動的な高齢者（Active Elderly）」という概念を使って、社会への「参加」を通じて彼らの自立を促進するという見方が注目を集めているのはそのためである。しかし、いずれ加齢とともに就業や社会参加の機会が減り、その能力が低下することは否めない。このような観点から、最近では高齢者を前期高齢者（六十五歳から七十四歳）、後期高齢者（七十五歳以

表4－4　高齢者の構成の変化（中国）　（単位：千人、%）

	2000	2005	2010	2020	2030	2040	2050
65歳以上	86, 739 (6. 8)	100, 464 (7. 7)	112, 941 (8. 4)	169, 567 (11. 9)	236, 414 (16. 2)	321, 762 (22. 2)	333, 668 (23. 7)
65－74歳	59, 582 (4. 7)	66, 257 (5. 0)	71, 059 (5. 3)	114, 171 (8. 0)	145, 389 (10. 0)	192, 381 (13. 3)	155, 501 (11. 0)
75歳以上	27, 157 (2. 1)	34, 207 (2. 6)	41, 882 (3. 1)	55, 396 (3. 9)	91, 025 (6. 2)	129, 381 (8. 9)	178, 167 (12. 6)

(注)上段は人数、下段は人口に占める割合
(出所)国連人口推計

上）に区分する見方が主流となっている。開発途上国の高齢化問題と人間の安全保障を考える際には、後期高齢者の動きをみることが不可欠となる。

後期高齢者の負担は前期高齢者よりもずっと重い。アジアにおいて高齢化は進むものの、今のところそれほど深刻ではない。中国を例にとると、二〇〇五年の高齢化率は七・七％であるが、その約七割が前期高齢者である。二〇二〇年まではこの比率で推移するものの、後期高齢者は同期間に、二〇〇〇万人以上も増加する。その後は後期高齢者の比率が高まり、二〇四五年頃に後期高齢者の数が前期高齢者を凌駕《りょうが》する（表4－4）。

高齢者の生存権を脅かす「人間の安全保障問題」を回避するためには、開発途上国政府が現時点から高齢社会対策に取り組むとともに、国際社会も事前に適切な支援を実施することが肝要であろう。この点については第5章で改めて考えたい。

3　開発途上国が直面する困難

タイの年金制度

開発途上国では社会保障制度の整備がいかに困難であるかを、近年、年金制度改革を積極的に進めてきたタイの事例からみておこう。

タイの年金制度は一九五一年の公務員と軍人向けの退職時の退職一時金・年金制度から始まった。一九五七年には地方公務員にも同様の制度が設けられた。この制度では、公務員・軍人に拠出の義務は一切なく、退職時に一時金と最終月給与に等しい年金が給付されるという手厚い措置であった。財政から支出される一〇〇％賦課方式であり、世界銀行の分類では第一層に相当する。

タイでは公務員のことを「国王の下僕（カー・ラチャガーン）」と呼ぶ。決して「国民の下僕」ではないのである。そしてこの公務員は、一九二〇年代から国王への奉仕の報奨として退職後も生活給を受けることになった。公務員の年金は国王のおぼしめしによる「恩給」だったのである。

このような手厚い年金制度を、その他の政府職員や国営企業従業員に拡大することはできるはずもなかった。実際、これら公的部門で勤務する者に対する年金の資金源を確保するために、政府職員や国営企業従業員と雇主である政府とが共同拠出する積立基金を設置することになった。これは「プロビデント・ファンド（Provident Fund）」と呼ばれる任意加入の基金で、世界銀行の分類では第三層に相当する。同ファンドは後に民間企業にも設立を認めた。

一九九〇年代に入ると、公務員に有利な恩給としての性格を持つ年金制度が財政を圧迫し始めた。政府は九六年に公務員の年金制度を改め、公務員と政府が共同拠出する公務員年金基金を設立し、そこからの給付によって賄うこととした。これは強制積立方式であり、世界銀行の分類では第二層に相当する。しかし、最終月給与の二％に勤続年数を掛けた金額が国庫から支給されており、公務員の年金支給を賦課方式から転換することはできなかった。このことは、前述したように政府による公務員の年金制度の見直しが困難なことを示す好例である。

公的部門以外では政府が支援する公的年金制度は、一九四〇年代から何度も議論されてきたものの、常に見送られてきた。しかし、八五年のプラザ合意以降の経済ブームのなかで、都市部への大量の労働移動が始まり、民間企業の被雇用者が急増したことを受けて、それまで議論にとどまっていた公的部門以外の社会保障制度がにわかに具体化した。それが九〇年に民間企業の被雇用者を対象とする「社会保障法」の制定であった。当初は、二〇名以上の従業員を有する事業所の被雇用者を対象に、雇用主、被雇用者、政府がそれぞれ給与の一・五％を社会保障基金に積み立てる制度としてスタートした。これにより医療、障害、死亡、出産の際の手当ての支給が可能となったが、当初の予定に入っていた老齢年金については、経営団体、労働組合双方の反対もあって実現しなかった。

その後、民主化運動と九七年憲法で社会的弱者保護が規定されたことを受けて、公務員以外の年金制度導入の議論が本格化した。また通貨危機・経済危機が低所得者の生活を直撃したことも、この動きを後押しした。そして、一九九九年に民間企業の被雇用者に老齢年金の積立てとして、被雇用者と雇用主に給与のそれぞれ二％（後に三％へ引き上げ）、政府には一％の拠出を義務づけた。

この民間部門の年金制度は「老齢年金基金（Old Age Pension Fund）」と呼ばれるが、給付水準は退職直前六〇ヵ月の平均給与の一五％とし、積立期間が一五年を超えることを条件に、一年ごとに一・五％上乗せされる。これは政府が拠出する賦課方式であり、世界銀行の分類の第一層に相当する。

とはいえ、仮に二五年積み立てたとしても、受けることができる月額は退職直前五年間の平均給与の三〇％でしかない。この水準は前述の公務員と比べてかなり低く、高齢期の生活を保障するには少なすぎる。そこで政府は、不足分については、前述のプロビデント・ファンドを設立することで補うことを奨励した。このファンドでは被雇用者が給与の三〜一五％の範囲で積み立て、雇用主も被雇用者本人と同額の積立てを行なうものである。給付はその運用益によって決定される確定拠出方式であり、設立は企業経営側の意思にまかされた任意積立方式であった。世界銀行の分類では第三層に相当する。プロビデント・ファンドの導入は、当初大企業に限られていたが、その後中堅企業にも広がった。加入数は、一九九九年の四〇〇五社一〇三万人から二〇〇三年末には五七六〇社一四一万人に増加した。

実現しなかった国民皆年金制度

全国民を対象とした社会保障制度構築の動きは、二〇〇一年の下院選挙でそれを公約に掲げ圧勝したタイ愛国党、タクシン政権の下で加速した。タクシン首相は二〇〇二年に医療保険の対象とならなかった四〇〇〇万人の国民を対象に、三〇バーツ（約九〇円）の初診料の支払いを条件とし、一人平均約一五〇〇バーツの医療サービスを受けられる制度をスタートさせた。これは「三〇バーツ医療サービス制度」と呼ばれるものであるが、中国、ASEAN4のなかで最も早い国民皆医療保険の実現であった。

当然、国民皆年金制度の導入についても期待が高まった。タクシン政権は、二〇〇一年に低所得高齢者を対象とした月三〇〇バーツの公的扶助を制度化した。これは十分な収入がないと認定された高齢者（四〇万人）を対象とするもので、世界銀行の分類では第〇層に相当するものである。

また老齢年金基金加入の対象を、二〇〇三年には自営業者に、二〇〇六年には農業従事者に、そして二〇〇七年には漁業・林業従事者に対象を広げ、国民皆年金制度が完成するはずであったが、その実現は足踏みを続けた。

タクシン政権が国民皆年金制度の構築に消極的になった原因は、人口動態を加味したシミュレーションの結果であったと思われる。タイの年金制度改革に協力した国際機関のシミュレーションでは、二〇四五年頃に基金そのものが破綻《はたん》することが示された。国際機関は老齢年金基金の制度の見直し、市場化を迫ったが、二〇〇四年に拠出の比率を給与の三％から四％へ引き上げるのが精一杯であった。現在、二〇一四年から給付が開始されるに先立って、すでに積立金の引き上げ、給付水準の引き下げ、年金支払開始年齢の引き上げなど、基金の根幹にかかわる制度の見直しが始まっている。

二〇〇三年以降の年金改革の議論は、現行の制度をいかに持続的なものにするか、対象外の者にはどのような年金制度を構築するかに二分された。公務員に対しては、すでに運用してきた強制積立方式の拠出率を引き上げ、民間企業に対しては、それまでの加入者の意思にまかせていた積立方式を強制的な積立方式に移行させ、両者を統合する「国家年金基金」設立の構想が浮上してきた。世界銀行の分類では第二層に相当する。すべての民間企業に同時に適用するのは困難との配慮から、当面は一〇〇人以上の被雇用者を有する企業に適用し、六年以内に一〇人以上の企業、一一年以内にすべての企業に適用する計画である。

右の年金改革は、二〇〇三年時点の全就業人口三四七〇万人のうち一三二二万人、全体の三八％を対象にしているにすぎない。二〇〇〇万人を超える自営業者や農業従事者は年金制度の対象外に置かれている。国際機関の提言のなかには、自営業者や農業従事者は、任意のプロビデント・ファンドや退職者向けミューチャル・ファンド（Mutual Fund）を利用して、個人自らが老後に備えるべきだとする考え方もあるが、自営業者や農業従業者のほとんどは拠出するだけの収入を持たない。

政府は、これら制度の対象となっていない者に対する社会保障制度を、別途設計することを財務省に命じ、検討を行なった。そして、加入者が居住するコミュニティにおいて年金基金を設立しようという結論に達した。たしかに、タイのいくつかの村には相互扶助的慣行を支えるために、「一日一バーツ運動」などの基金を作る活動がある。政府は、これに制度外の者への年金を含めようとしたのである。コミュニティによって、人口規模、所得水準、社会資本整備状況などが異なるため、具体的な運営については、コミュニティの方針に任せる方針である。他方、農村のようにはっきりしたコミュニティを持たない都市で働く者に対しては、タクシードライバーや露天業者など職種別に組織化を図り、そこに同様の基金を設立することとした。また、これら基金は一定の条件を満たせば、団体として国家年金基金に加入できるようにすることを計画している。

福祉国家の重要な機能の一つは、社会保障制度を通じての所得の再分配である。しかし、タイでこれから整備されようとしている年金制度は、所得の再分配機能をまったく持っていない。人口の最も多い自営業者や農業従事者の資金源は加入者本人の拠出に基づくもので、財政から切り離されている。また、すでに制度化された年金の対象者である公務員や民間企業の被雇用者の年金を統合する国家年金基金も、政府に出資義務はなく、それぞれが確定拠出制度に基づいて個人口座を持つだけである。その加入者間での所得再分配機能を持つものではない。

さらに農村に開設が予定される年金基金については、それで本当に高齢者の生活が維持できるのかという本質的な疑問が残る。

二〇〇五年時点で社会保障費は歳出の二割以下であり、政府が支出できる公的資金の余地はまだ残っているはずである。しかし、低所得で高齢化を迎える国において、とくに農村を含めた社会保障制度の構築が困難であることを示す事例であろう。開発途上国にとって福祉国家の形成は夢物語なのだろうか。

高齢化の進展によって、アジアの経済そして社会の将来はますます不確実性を増していくといわざるをえない。これらを回避するために我々にできることは何か。どこから手を付ければいいのか。最終章ではそれを考えてみたい。

第5章　地域福祉と東アジア共同体

東アジア共同体は実現できるか　ASEAN＋3の首脳会談で握手する小泉首相（右），マレーシアのアブドラ首相（中央），中国の温家宝首相（©ロイター＝共同）

1　福祉国家から福祉社会へ

鍵を握る二つのコミュニティ

高齢化問題の解決に主導的な役割を担うのは政府である。しかし、先進国のいずれの政府も高齢化問題に対する抜本的な解決策を見出していない。むしろ高齢化による財政負担の急増から福祉国家の危機が叫ばれ、福祉制度そのものの見直しが進められている。低所得水準で高齢化を迎える開発途上国では、事態はさらに深刻である。タイの例でみたように、「福祉国家」の実現そのものが開発途上国ではきわめて難しいからである。

そこで、本章では国家という枠組みから離れて、二つの視点から高齢化問題を捉え直してみたい。第一は、高齢化は、それぞれが住む地域で生じる身近な問題であるという視点である。日本では、高齢者介護への対応を機に、福祉の担い手は国から地方へと移行しつつある。第二は、高齢化は各国が抱える国内問題とはいうものの、アジア地域の繁栄に及ぼす影響が大きく、アジア各国が協力して取り組むべき国際問題であるという視点である。つまり住民組織という身近な「コミュニティ」と、アジア地域統合という国境を越えた「コミュニティ」という二つの「コミュニティ」の視点から高齢化への対処を考えてみたい。

以下では、福祉国家から福祉社会への移行が世界の潮流であることを確認した上で、新しい担い手として、住民組織としてのコミュニティの役割が期待されていることを示す。次いで、日本の地域福祉の経験をまとめ、開発途上国支援への視点を提示する。さらに、アジア地域統合で話題となっている「東アジア共同体」形成に向けた動きを概観し、地域の持続的な繁栄を維持し、豊かな高齢社会を確立するためには、各国の協力が不可欠であり、その協力こそが東アジア共同体形成に資するものとして位置づける。

福祉社会への移行

二〇世紀は、「揺りかごから墓場まで」といわれるように先進国では福祉への政府の役割が強調された世紀であった。しかし、二〇世紀末頃には、福祉に重点を置いた多くの国々で財政負担が急増し、「福祉国家」の見直しが議論されるようになった。そのなかで、普遍的な福祉国家は存在せず、各国は国家、市場、家族を組み合わせた独自の福祉制度を構築すべきと認識されるようになった。さらに高齢化が進むなかで、それを補うものとして市民社会や住民組織（コミュニティ）の役割が注目されるようになった。

この福祉国家戦略から福祉社会構築への移行は世界で共通した流れであり、開発途上国も同じ位相にある。ただし、開発途上国における社会保障制度整備の制約要因は多く、高齢期の生活を自ら賄う個人の能力は低い。開発途上国の場合は、福祉社会構築に向かわざるをえないといった方が正確かもしれない。

このような現実への対処の方策として、開発途上国でもコミュニティが福祉の担い手として注目されている。たとえば中国では、改革・開放政策のなかで福祉サービスを担ってきた人民公社や国有企業が解体され、国家の福祉サービスが受けられない人が出てきた。それを補うものとして、居住地域で住民同士が相互扶助する組織としてコミュニティの存在が改めて注目されるようになった。一九八七年以降、「社区（コミュニティの中国語訳）」の名の下で、地域での福祉サービス体制が模索され、高齢者福祉だけでなく、住宅の提供や医療・保健、治安維持、障害者福祉、交通安全など、多岐にわたるサービスの担い手として重視されるようになった。二〇〇〇年には民生部（日本の厚生労働省に相当）が「社会福祉の社会化（地域による福祉サービス）」を方針に掲げ、社区において営利団体の福祉参加や住民参加によるNPO（非営利団体）との連携が図られるようになった。

タイでは、二〇〇二年に社会開発・人間安全保障省を新設し、文字通りコミュニティの開発と福祉サービスを一体化した地域作りに乗り出した。二〇〇三年にはNESDB（国家経済社会開発庁）がそのモデルの一つとして「住みよい村、住みよいコミュニティ構想」を提示し、また家族の絆《きずな》の回復については、「家族制度開発計画（二〇〇四〜一四）」というユニークな政策を立案・実施している。第4章でみたコミュニティを基盤とした年金基金の設立は、地域を基盤とした福祉サービスの一環と捉えることができる。

他方、国際機関も支援の対象としてコミュニティを重視するようになった。たとえば、世界銀行は『ソーシャル・プロテクション・セクター・ストラテジー』のなかで、開発途上国の福祉政策では「インフォーマルな伝統コミュニティ」の活用が重要であるとし、具体的には、コミュニティ開発の一つの手段として「社会資本（Social Capital）」を通じた支援の強化を強調している。社会資本とは、「人々の協調的行動を通じて社会の効率性を改善できる信頼や規範、ネットワークなどの組織」のことである。具体的には、市民の権利保護や能力開発、コミュニティの持続的な開発などを目的として活動する地方政府やNGO（民間活動団体）、コミュニティを基盤にした団体、民間企業などの活動を支援するものである。

しかし、開発途上国における伝統的コミュニティは我々が想像するほど強固なものではない。むしろ、開発途上国では、伝統的なコミュニティにおける相互扶助の機能が弱まってきているからこそ、社会保障制度整備が求められているのが実情である。また、コミュニティの崩壊を食い止める、あるいは復興する手立ては何なのか、そもそも都市部において社会的弱者をカバーするコミュニティが、存在するのかなどの点で疑問が残る。

他方、先進国では任意の参加による新しいコミュニティが福祉社会の新たな担い手として期待されている。しかし、新しいコミュニティの形成にはどのような要素が必要であるのか、それが全国に分布する社会的弱者のすべてをカバーできるのかなどの課題がある。コミュニティが提供する福祉サービスは、高齢者に対して十分な量と質を確保できるものなのか、その活動を効果的なものとするための政府の支援体制は整っているのかどうかという問題もある。さらに、伝統的なコミュニティとNGOなどの新しいコミュニティの協力調整を今後どのように促進していくかなどの方向性についても、明確に示されてはいない。国際機関も各国政府もコミュニティが重要と認識しているものの、その具体化には試行錯誤を重ねているというのが実情である。

2 日本の地域福祉の取り組みと教訓

日本の地域福祉の歩み

このようなコミュニティの役割の見直しと強化は、東アジアの高齢化対策に対する日本の新しい支援を考える上で重要な視点となる。なぜなら、日本はこのような地域をベースとした福祉サービスを「地域福祉」として長期にわたって取り組んできた歴史と、その過程で得た豊富な経験・教訓を有しているからである。

日本の地域福祉の歴史を簡単に振り返っておこう。

日本においても、経済発展とともに農村の過疎化と都市の過密化が進行し、農村と都市の双方において伝統的なコミュニティが崩壊の危機にさらされた。このような事態に対処するため、一九六九年の地方自治法改正に合わせ、国民生活審議会は「コミュニティ――生活の場における人間性の回復」を発表し、一九七一年には自治省がモデル・コミュニティ施策を公表した。さらに一九七三年の中央社会福祉審議会による答申「コミュニティ形成と社会福祉」は、コミュニティの福祉機能を見直す契機になった。

一九八〇年代に入ると、社会福祉協議会が中心となって既存の地域福祉活動を体系化するとともに、地域福祉計画が策定されるようになった。他方、急速に進展した高齢化が地域福祉の取り組みを本格化させる推進力となった。たとえば、一九八九年の「ゴールドプラン（高齢者保健福祉推進一〇ヵ年計画）」では在宅介護の視点が強調され、同年の福祉関係三審議会合同企画分科会の意見書「今後の社会福祉のあり方について」では、主体としての市町村の重視、在宅福祉、民間サービスの育成などの地域福祉が重視された。一九九〇年の「社会福祉事業法」の改正により、地域が積極的に取り組むことが制度化され、一九九三年には、市町村、都道府県レベルで老人保健福祉計画の策定が義務づけられた。これを受けて、一九九四年に「ゴールドプラン」は「新ゴールドプラン」として見直され、一九九七年には地方が主な担い手になることを規定した「介護保険法」が制定された。

さらに二〇〇〇年に地域住民や団体が地域を単位として福祉に取り組むこと、地域福祉を促進することを目的に「社会福祉事業法」が「社会福祉法」として改正された。同法では、「地域福祉計画」について、市町村地域福祉計画と都道府県地方福祉計画を作成すべきであるとの方針が示された。これは、それまで地域ごとに実施されていた福祉活動を統合し、他方で市民参加を促すことを目的としたものである。また、地域福祉を通じての地域社会基盤の強化は、福祉活動の活性化にとどまらず、街づくりを通じた地方経済の繁栄を支えるものであると位置づけられたことも注目される。

加えて、「社会福祉法」の制定を受けて、二〇〇二年一月に社会保障審議会福祉部会は、①住民参加の必要性、②共に生きる社会づくり、③男女共同参加、④福祉文化の創造、の四つを柱とする「市町村地域福祉計画及び都道府県地域福祉支援計画策定指針の在り方について」というガイドラインを発表した。次いで、二〇〇二年四月に厚生労働省社会支援局長が、各都道府県知事あてに「地域福祉計画の策定について」を通知し、現在、各地域での取り組みが本格化している。

国と地方の役割分担

このように日本には地域福祉に関する豊富な経験と教訓があり、それは開発途上国の高齢社会対策支援のあり方に多大の示唆を与えるものと考えられる。

たとえば国と地方の役割分担では以下の点が重要である。

福祉に関する地方分権化が進んでいるとはいえ、地域福祉を活性化させるための基盤形成（インフラ整備など）における中央政府の役割は依然大きい。また、高齢社会に対応する都市や設備の設計に関する規制などソフト面でも政府の役割は重要である。たとえば、旅客施設や車両の設計、周辺道路を含めたユニバーサルな街づくり、住宅の手すりの確保や段差の解消など目配りの利いた設計基準などに関する知識や技術の蓄積を反映させた一九九四年の「高齢者、身体障害者等が円滑に利用できる特定建築物の建築の促進に関する法律（ハートビル法）」や二〇〇〇年の「高齢者、身体障害者等の公共交通機関を利用した移動の円滑化の促進に関する法律（交通バリアフリー法）」（二〇〇六年に廃止。これに代わる「高齢者、障害者等の移動等の円滑化の促進に関する法律」制定）などがこれに該当する。このような高齢者にやさしい街づくりの知識や技術移転などの支援は、開発途上国のインフラ設備の効率性や耐久性を高めるものとなろう。

また、日本では、地域福祉への取り組みが早かったため、都道府県と市町村の役割分担もかなり明確になってきている。「社会福祉法」では、都道府県と市町村の役割を以下のように規定している。地域福祉の主たる活動単位は市町村であり、市町村が、①福祉サービスの適切な利用の観点、②社会福祉を目的とする事業の健全な発達の観点、③住民参加の促進の観点から計画を作成することになっている。これに対し、都道府県は、適切な人員の派遣などを通じて市町村の活動を後方から支援する役割を担う。さらに具体的な活動は、たとえば小学校区に区分して活動を促すケースも増えている。これらは日本では地域福祉に長年取り組んできた歴史や住民の意識の高さを反映するものである。

このような都道府県と市町村の関係を、そのまま開発途上国に持ち込むことはできないだろう。開発途上国においても近年、地方分権化が進められているが、地方で人材が不足しているために中央政府から人員を派遣している場合が少なくない。そのため、地方福祉支援とはいえ、実際には中央政府を現地パートナーとしたものとならざるをえない。しかし地域福祉の主な活動単位が市町村であることを考えると、地域福祉支援は、現地パートナーが中央レベルから県レベル、そして市レベルへと変わるように設計される必要があり、それを促すための地方政府の人材育成や、住民参加を促す啓蒙《けいもう》活動を、同時に行なう必要がある。

また、行政レベルとは別に、草の根の組織から具体的な支援を図ることも必要であろう。その際には、社会保障審議会福祉部会の計画案が重視しているように、地域に在住するリーダーの発掘や住民との良好な人的協力関係の形成が重要になる。また、日本で効果をあげているように小学校区を単位とした地域の取り組みは開発途上国に対しても参考になるし、寺院・教会、農村内に新しくできた住民組織などの活用も試みるべきであろう。

担い手の連携と住民参加

次に地域福祉の担い手の連携を考えてみたい。二〇〇二年に社会保障審議会福祉部会が発表したガイドラインによれば、担い手として地域住民のほかに、①要支援の団体、②自治会・町内会、地縁型組織、③一般企業、商店街、④民生委員・児童委員、福祉委員、⑤ボランティア、ボランティア団体、⑥特別非営利活動法人(NPO法人)、住民参加型在宅サービス団体、⑦農業共同組合、消費生活共同組合、⑧社会福祉法人、地区社会福祉協議会等、⑨社会福祉従事者(民間事業者を含む)、⑩福祉関連民間事業者(シルバーサービス事業者)などが挙げられている。実情に即したサービスの供給を行なうためには、担い手の多様化を図ることが重要である。

日本においても、最初から担い手が多様化していたわけではなく、伝統的なコミュニティの崩壊を、新しいコミュニティが補ってきた結果、多様化してきたというのが実態である。ただし、このような担い手の育成やその調整を行なってきた「社会福祉協議会」の役割は大きかった。同協議会は一九五一年の「社会福祉事業法」に基づいて設立された非営利民間組織であるが、募金や助成により運営を支え、全国レベルで組織化を進めてきた。その活動の一つである小学校区を単位とする小地域福祉活動は住民の意識を高め、そのネットワークは新しい担い手育成の基盤となった。

開発途上国において、数多くの担い手が地域福祉にかかわることは期待できない。しかし日本の社会福祉協議会が全国で行なってきた小規模活動とネットワーク形成の経験は、新しい担い手を必要とする開発途上国にとっても有用なものである。また、開発途上国においては、近年活動領域を拡大している海外NGOとの連携も有効である。このような担い手の育成、担い手の連携を促す組織形成の促進も支援の一つとなろう。

また、地域福祉の有効性と持続性は、住民が直接どれだけ参加するかによって決まるといっても過言ではない。日本では地域福祉計画の立案・実施・評価のそれぞれの過程で、さまざまな仕組みを使って住民参加を促してきた。たとえば、立案過程では住民が地域の問題発掘、ビジョン設定を自主的に行ない、行政と協力して計画を作成するという試みが多くみられる。また実施過程では、行政レベルでの施策だけでなく、あいさつや声かけ運動、近所の共同掃除などの日常生活を通じて連帯感を醸成するもの、高齢者と食事を共にする「ふれあい食事サービス」や料理・音楽など手軽な趣味を介した交流会の開催など、地域住民が参加しやすい活動が盛り込まれている。これらが高齢者の心身の改善につながったとする報告例は数多い。また、地域の文化財を中心とした行事開催やミニコミ誌の発行などは、担い手となる地域住民の連帯感を高めるための有用な方法である。開発途上国においては担い手が不足するため、先進国以上に住民参加を促進する必要があるだろう。その際には、右に述べたような、日常生活の延長としての地域福祉活動が有効と思われる。

また、計画評価の過程では、行政が行なう客観的評価とともに、住民が肌で感じた主体的評価を取り入れる傾向が強まっている。地域住民が自ら指標を作成し、達成目標を数値化し、評価を行なっている場合もある。このような住民参加による指標作成は、住民の意識の向上や行政のガバナンスの強化、そして地域福祉活動の持続性に資するものであろう。

このような住民参加を促す国レベルの活動として、さまざまな地域活動を整理し、その情報を公開し、経験を共有する仕組みを構築することも有効な支援と考えられる。日本では、全国社会福祉協議会・地域福祉推進委員会が作成するホームページ「地域福祉・ボランティア情報ネットワーク」(www3.shakyo.or.jp/cdvc)が、さまざまな具体的事例を掲載している。地域住民がこのように他の地域のケース(事例)にアクセスできる環境は、住民参加の福祉事業を量・質両面で向上させていく機会を与える。

3 真の東アジア共同体形成に向けて

アジア地域での協力体制

最後に、アジアの持続的な繁栄を維持し、かつ豊かで安定的な高齢社会を迎えるための協力体制を考えてみよう。近年、アジアでは経済関係の深化が地域協力へと発展し、さまざまな問題を共に議論する土台が形成され始めている。その背景には以下の三つの動きがある。

第一に、域内での貿易の相互依存度が高まっていることである。本書の対象であるアジア諸国(インドを除く)の輸出額の合計は二〇〇〇年の一兆六五四〇億ドルから二〇〇五年には二兆七〇五三億ドルへ、そのうちアジア地域内の貿易は七七一五億ドルから一兆三五八〇億ドルに増加し、その比率では四六・七%から五〇・二%へと上昇した。

第二に、域内での協力の必要性が各国で認識されたことである。IMF(国際通貨基金)、世界銀行主導体制(ワシントン・コンセンサスとも呼ばれる)は、アジア通貨危機へのきめ細かな対応が遅れ、経済危機をもたらした。これに対し、日本は地域内の金融問題に対処するためにAMF（アジア通貨基金）構想を打ち出した。これは米国・中国の消極的態度により実現しなかったものの、その後ASEANと日中韓の間での通貨交換協定である「チェンマイ・イニシアティブ」、そしてアジア債券市場育成構想（現地通貨建て）などの協力体制が実現した。

第三に、各国がFTA（自由貿易協定）締結の対象を拡大しており、ASEAN諸国は域内でのFTAを一九九二年からスタートし、中国とASEANは二〇〇五年から、韓国とASEANは二〇〇七年からスタートさせた。日本はFTAによる貿易の自由化だけでなく、人の移動の規制緩和や知的財産権の保護などを盛り込んだEPA（経済連携協定）の枠組みで二〇〇七年六月時点でシンガポール、マレーシア、フィリピン、タイ、メキシコ、チリと署名しており、ASEAN全体とも基本的合意に達している。

さらに、「東アジア共同体」という、ASEAN＋3（日中韓）を軸に、貿易、投資だけでなく、政治、安全保障などを含む多分野での地域統合を推進しようとする動きが浮上した。

東アジアで、EU（欧州連合）のような地域統合を形成しようという動きがこれまでなかったわけではない。たとえば一九八九年にAPEC（アジア太平洋経済協力閣僚会議）を発足させ、地域の経済問題を閣僚レベルで協議する場を設定した。一九九〇年にマレーシアのマハティール首相がアジアの結束を固めるために、東アジア経済グループ（EAEG）構想を提案した。しかし、米国を枠外にしたこの構想は米国政府の反撥《はんぱつ》を招き、またアジア全体の同意を得ることができず、東アジア経済会議（EAEC）として修正されたものの、時間とともに立ち消えとなった。

その後はアジア域内の地域統合の新しい動きはなかったが、一九九二年にASEANが域内貿易の自由化を目標としたAFTA（アセアン自由貿易協定）に合意した。当初はその実現を疑問視する向きもあったが、関税率引き下げは目標の二〇〇八年から二〇〇三年に前倒しして達成された。その間にASEANはベトナム、カンボジア、ミャンマー、ラオスとメンバーを増やし、かつ二〇〇三年の首脳会議では、安全保障共同体、経済共同体、社会文化共同体の三つを通じて「ASEAN共同体」を目指すことを宣言した。

このようなASEANの結束は、アジアでの地域統合への動きの起爆剤になった。日本はそれまで地域統合に消極的であったが、二〇〇二年に小泉純一郎《こいずみじゅんいちろう》首相（当時）がシンガポールで、「東アジア・コミュニティ」構想を発表した。さら二〇〇三年の日本・ASEAN特別首脳会議で採択された東京宣言にも、この構想が明記された。日本だけではなく、中国もこの地域統合に強い関心を示した。二〇〇〇年のASEAN首脳会議で中国は「中国・ASEAN自由貿易協定」の創設を提案し、二〇〇二年のASEAN首脳会議では「中国・A

SEAN包括的経済協力枠組協定」に署名した。さらに韓国も二〇〇四年、ASEANと「韓国・ASEAN包括的経済協力枠組協定」を締結した。

　このように日中韓が独自にASEANとの経済協力関係を強化する一方で、ASEANと日中韓が参加した二〇〇五年の「東アジアサミット」の開催により、東アジア共同体構想が具体性を持ち始めたのである。

東アジア共同体形成への課題

　ただし、先行するアジア域内の貿易や投資の増大という経済面での相互依存関係の深化をもってのみ、東アジア共同体の実現を急いではならない。EUと比較して乗り越えるべき障壁は高い。

　アジア地域に含まれる国の発展段階や所得水準は大きく異なる。一人当たりGDPが三万ドルを超える日本、シンガポールから、一〇〇〇ドルにも満たないベトナムやカンボジアが共存する。また、アジア地域は多様な文化社会から構成されている。宗教面でみても仏教、カトリック、イスラム教、ヒンズー教などが存在する。さらに、政治体制の異なる国が存在する。中国やベトナムは社会主義体制を維持する国である。また、EUにはNATO（北大西洋条約機構）やOSCE（全欧安全保障協力機構）など地域を網羅した安全保障の枠組みが

表5－1　経済統合の段階

		内　容
1	自由貿易圏	加盟国間の輸入関税を撤廃
2	関税同盟	非加盟国からの輸入に対して共通の関税を適用
3	共同市場	加盟国間の非関税障壁の撤廃
4	経済同盟	加盟国は統一された組織の下で共通の経済政策を実施（通貨統合など）

（出所）筆者作成

あるが、アジアにはこれに相当するものがない。

これらの点を考えれば、共同体形成にはまず相互の文化、社会を尊重する信頼関係を築くことが不可欠であり、その熟成には時間がかかるものと考えた方がよいだろう。

このようにさまざまな要因に違いのあるアジアで、制度や法律を統一することは容易なことではなく、急ぐことがかえって対立の火種になり、共同体に向けた動きを台無しにしてしまうことさえ考えられる。

経済統合は、表5－1のように自由貿易圏、関税同盟、共同市場、経済同盟の四つの段階に区分されるが、アジアはまだ第一段階の準備に着手したばかりである。当面は、これまでのように経済関係など実態面での関係を深めていくほかない。その過程で、経済統合に付随するさまざまな問題に直面したとき、協力体制を構築し、それを積み重ねることで共同体形成の基盤作りとすることが肝要である。先に述べた通貨危機・経済危機後の経済協力などはその好例である。また近年では、SARSや鶏インフルエンザを、経済繁栄を持続していく上での共通の脅威と認識し、テロの問題についてもその防止は地域で協力して取り組むべき課題として話し合われている。持続的な経済発展の維持に協力の範囲を限定して、東アジア経済共同体形成に向けた中間点とするというのも一案である。今後は、地域内の持続的な成長や繁栄を維持するために、エネルギー問題、環境問題、食糧問題など、将来的に何が起こるかを事前に予測した危機管理が議論されることを期待したい。

そして、そのなかに本書でみてきた高齢化問題をも含めて考えるべきであろう。なぜなら、高齢化問題への協力体制は、以下の点でアジア経済統合を促進し、さらに共同体形成へ向けた基盤作りに資する性格を持つと考えるからである。

アジアでは、「東アジアの奇跡」を支えた人口ボーナスの効果が二〇一五年頃から薄れていくことはすでに述べた。また、国内の労働移動は、都市部の成長を促す一方で農村の過疎化を加速させ、地域間の所得格差を拡大させる要因の一つになっている。東アジアで深化する経済関係の主役は、現在のところ都市部の連携であるが、都市の繁栄は農村の繁栄と不可分であり、社会保障制度などを通じた所得移転が都市部の経済に影響を及ぼすようになる。高齢社会への対応は各国政府の判断によるものであるが、それが経済統合に及ぼす影響は小さくない。つまり高齢化問題への対処は経済統合を促進する過程で無視できない問題である。

また農村に視野を広げることは、経済面での地域協力を共同体へとレベルアップさせるために重要な役割を担うと考えられる。そもそも共同体とは、その領域内に住む人々と利害を共にする社会のことであり、すべての構成員に目配りすることが義務だからである。当然のことながら、アジア共同体の議論には農村も含まれる。私たちは都市部の経済発展が農村部にも広がり、点から線へそして面へと成長の果実が波及していくものと「楽観視」していないだろうか。しかし本書でみてきたように、むしろさまざまな働きかけがなければ、農村では高齢化が進み、自立的な活動さえ困難になる可能性がある。他国に住む高齢者を視野に含めない共同体論は空論といっても過言ではない。高齢化問題をどう捉え、いかに対処するかは、東アジアが真の共同体を形成することができるかどうかのリトマス試験紙といえる。

アジア福祉ネットワーク

高齢化は、経済統合や共同体形成の進展とは無関係に進む。政府の取り組みが遅れても進んでいく。他方、高齢者が住む地域では、より一層自助努力が求められることになろう。その点で、本章でみた居住地域をベースにした福祉、地域福祉はますます注目されるであろう。日本も「開発途上国の高齢化問題」を援助の視野に入れ始めている。国際協力機構（JICA）は、二〇〇四年からチリに対する高齢者福祉行政支援、二〇〇六年から中国に対する農村年金制度設計支援を実施してきた。二〇〇七年からはタイ向けの高齢社会政策支援が始まる。そしてタイの高齢社会支援では、日本の地域福祉の経験や教訓を伝えることを中心事業とする予定である。これは日本にとっても、これまでの地域福祉の経験・教訓をまとめる貴重な機会になると思われる。さらに支援対象国が広がるなかで、日本の地域福祉の経験と教訓が新しい支援となることを期待したい。

もちろん日本も、地域福祉の現場は日夜試行錯誤を続けている。その点ではアジアの経験を学ぶ絶好の機会である。また、地域福祉のあり方は、地域の人口規模、年齢構成、産業構造、インフラ整備状況、伝統的な協力体制など諸条件が異なるため、すべての地域に共通したマニュアルの作成は不可能であろう。行政レベルでの取り組みは、それぞれの活動方針を示すことはできるものの、それを調整し、豊かな高齢社会を形成する主役は住民以外にない。広井良典が前述の『アジアの社会保障』のなかで提唱するように、福祉の問題をアジアという地域に引き付け、政府やNGO、NPOの相互協力と連携強化を目的とする「アジア福祉ネットワーク」を形成するというのも一つの案である。日々の暮らしに忙しい住民に調整の時間は限られ、ノウハウの蓄積は乏しい。彼らが真に必要とするのは、行政レベルが準備する理念や枠組みだけではなく、目の前で起こっている問題に対処する知恵と経験であろう。そのためには各地域の取り組み事例が参考になる。たとえば、沖縄のある村の事例が、タイのチェンマイ県の村に参考になるかもしれないし、中国山東《さんとう》省の村の事例が、青森の村の地域福祉に適切かもしれない。幸いなことにグローバル化が進む現代は、インターネットの活用で瞬時に驚くべき量の情報交流が可能である。さらに世界全体で活躍するNGO、NPOの経験は、その宝庫であるに違いない。各国政府に求められる施策の一つは、地域住民がアクセスできるこのような情報交流の基盤整備である。

近年、日本と東アジア諸国の関係は、支援国・被支援国からパートナーシップへ変わりつつある。急速な高齢化に耐えうる持続的な地域社会の創設に向けた取り組みは、まさにパートナーシップに基づく未来志向の協力体制といえるだろう。また、福祉国家から福祉社会への移行は、先進国、開発途上国に共通の課題である。つまり福祉社会の構築は、先進国と開発途上国が共に知恵を出し合える課題と読み替えることも可能である。急速な少子化によって高齢社会を迎える東アジアの高齢化への取り組みは、地域の成長を維持するだけでなく、わが国の高齢社会への対応にも資する協力であろう。

アジアで最も高齢化が進む日本には、地域福祉の経験や知識を他の国々に公開すると同時に、他国の経験や知恵を吸収するという情報交流を促進する場を設定する役割を期待したい。このような双方向での経験や知恵の交流は、「共に考え共に歩む」という東アジア共同体の基本精神と合致するものと確信する。

あとがき

近年、世界レベルで高齢化が議論されるようになってきた。アジア各国でもその傾向が年々強まっていることは望ましいことである。高齢社会そのものは「問題」ではない。高齢社会は長寿を可能とした社会であり、それ自身は繁栄の賜物である。「問題」は、今後急速に増えていく高齢者に対して、安心して暮らせる社会を確立できるのかどうかが不透明なことにある。

危機管理を日本に広めた佐々《さっさ》淳行《あつゆき》氏は、「悲観的に準備し、楽観的に行動する」ことが思わぬ災害を防ぐための心得だと指摘する。たしかに、アジア全体で考えれば、高齢化の影響が全域に広まるまでは、今しばらく時間がある。しかし、高齢化対策の遅れが後の経済社会問題の遠因になった日本の例を考えれば、残された時間は少ないという方が適切であろう。ましてアジア全域で進む高齢化のスピードは日本のそれよりも速い。

アジア諸国は、ただちに地域レベルで経験や知識を整理・公開し、それぞれが適切な施策を見出せるような、協力体制を構築すべきだと思う。その過程では、これまでの所得水準の上昇や高い成長率などを重視した「量の拡大」から、豊かで安心できる社会の形成に目を向けた「質の向上」へと「繁栄」の捉え方を見直すことも必要であろう。そういう意味で、本書の副題を「繁栄の構図が変わるとき」とした。

本書の刊行には、多くの方々からの協力を得た。とくに拓殖大学学長渡辺利夫先生、東京大学社会科学研究所末廣昭先生のご支援がなければ、実現にはいたらなかっただろう。

二〇〇四年、私が勤務する日本総合研究所で、タイでの少子高齢化について報告した際に、渡辺先生から研究領域をアジア全体に広げてはどうかとご助言いただいた。時ほぼ同じくして、末廣先生とは外務省の対タイ経済協力計画でご一緒させていただき、タイの少子高齢化を「中進国の課題」として考える機会を得た。その後も、JICA国際協力総合研修所の委託研究では、渡辺先生の監修の下にタスクチームを形成し、開発途上国の高齢化とわが国の支援、協力のあり方を研究した。末廣先生とは、タイ現地調査で、朝早くから夜遅くまで議論させていただいた。これらのアイディアが、本書の基礎となった。また、両先生には忙しいなか全文に目を通していただき、貴重かつ適切なアドバイスをいただいた。心より御礼申し上げる。

また、本書の執筆の過程では、いつも笑顔で対応してくださった中央公論新社中公新書編集部の吉田大作さんの存在が大きかった。取り扱う問題が大きいだけに、挫《くじ》けそうになる私を暖かく見守ってくださった。ありがとうございました。

近年、高齢化問題を考えるなかで、ご近所の高齢者の方々が気になり出した。忙しいことを理由に近所付き合いを後回しにしていた自分にも気付くようになった。最近では、ご近所にできることはないかを、常に考えるようになった。人生において大きな収穫である。

最後に、狭い食卓に据えつけられたパソコンに長時間向き合い、ああでもない、こうでもないと、一人つぶやき続けた私に、不満一つ言わず見守ってくれた妻奈穂美、息子良太に感謝したい。

二〇〇七年八月

大泉啓一郎

参考文献

本書を通じて用いた主な統計

アジア開発銀行統計：ADB Key Indicators,（http://www.adb.org/）
国連人口推計：World Population Prospects : The 2006 Revision,（http://esa.un.org/unpp/）
世界銀行統計：World Development Indicators,（CD-DOM）

はじめに

経済産業省『通商白書 二〇〇五』、二〇〇五年
経済産業省『通商白書 二〇〇六』、二〇〇六年
Paul Krugman, "The Myth of Asia's Miracle", *Foreign Affairs*, November/December 1994（ポール・クルーグマン「まぼろしのアジア経済」『中央公論』一九九五年一月号所収）

第1章

河野稠果『世界の人口』東京大学出版会、二〇〇〇年

梶原弘和・武田晋一・孟建軍『経済発展と人口動態』勁草書房、二〇〇〇年
早瀬保子『アジアの人口』アジア経済研究所、二〇〇四年
若林敬子『中国の人口問題と社会的現実』ミネルヴァ書房、二〇〇五年
渡辺利夫『開発経済学』日本評論社、一九八六年
渡辺利夫『アジア・その成長と苦悩』(NHK市民大学一九九八、四〜六月期)日本放送協会、一九九八年
Donella H. Meadows and Dennis L. Meadows, *The Limits to Growth* (D・H・メドウス他著、大来佐武郎監訳、『成長の限界』ダイヤモンド社、一九七二年)

第2章

国連人口基金『世界人口白書 一九九八』、一九九八年
末廣昭『タイ――開発と民主主義』岩波新書、一九九三年
原洋之介編『新版 アジア経済論』NTT出版、二〇〇一年
南亮進『日本の経済発展』第三版、東洋経済新報社、二〇〇二年
山口三十四『人口成長と経済発展』有斐閣、二〇〇一年
渡辺利夫『成長のアジア 停滞のアジア』東洋経済新報社、一九八五年
Andrew Mason, "Population and the Asian Economic Miracle", *Asia-Pacific Population & Policy*, EAST-WEST CENTER, Number 43, 1997

David E. Bloom and Jeffrey G. Williamson, "Demographic Transitions and Economic Miracles in Emerging Asia", *The World Bank Economic Review*, Vol.12, No.3, World Bank, 1998

Thomas Robert Malthus, *An Essay on the Principle of Population*, 1798

World Bank, *The East Asian Miracle : Economic Growth and Public Policy*, World Bank Policy Research Report, 1993（世界銀行・白鳥正喜監訳『東アジアの奇跡　経済成長と政府の役割』東洋経済新報社、一九九四年）

第3章

国際協力銀行（ＪＢＩＣ）『我が国製造業の海外事業展開に関する調査報告（二〇〇六年度）』、二〇〇六年

国務院研究室課題組『中国農民工調査研究報告書』中国言実出版社、二〇〇六年

内閣府『平成一七年度経済財政白書』、二〇〇五年

IMF, *World Economic Outlook*, September 2004

World Bank, *Innovative East Asia*, 2003

World Bank, *World Development Report 2007 : Development and the Next Generation*, 2006（世界銀行・田村勝省訳『世界開発報告二〇〇七　経済開発と次世代』一灯社、二〇〇七年）

第4章

国際協力機構（ＪＩＣＡ）『ソーシャル・セーフティ・ネットに関する基礎調査』、二〇〇三年
国際協力機構（ＪＩＣＡ）『開発途上国の高齢化を見据えて』、二〇〇六年
末廣昭『キャッチアップ型工業化論』名古屋大学出版会、二〇〇〇年
寺西重郎編『アジアのソーシャル・セーフティネット』勁草書房、二〇〇三年
広井良典『日本の社会保障』岩波新書、一九九九年
広井良典・駒村康平編『アジアの社会保障』東京大学出版会、二〇〇三年
Asian Development Bank (ADB), *Social Protection Strategy*, 2003
Robert Holzmann and Richard Hinz, *Old Age Income Support in the 21st Century*, World Bank, 2006
World Bank, *Averting the Old Age Crisis*, 1994
World Bank, *Social Protection Sector Strategy*, 2001

第５章

武川昭吾編『地域福祉計画　ガバナンス時代の社会福祉計画』有斐閣アルマ、二〇〇五年
沈潔編著『地域福祉と福祉ＮＰＯの日中比較研究』日本僑報社、二〇〇六年

ハ・マ・ヤ・ラ・ワ行

索　引

大泉啓一郎（おおいずみ・けいいちろう）

1963（昭和38）年大阪府生まれ．86年，京都府立大学農学部卒業，88年，京都大学大学院農学研究科修士課程修了．東レ・ダウコーニング・シリコーン株式会社，京都大学東南アジア研究センターを経て，90年に三井銀総合研究所入社．現在，株式会社日本総合研究所調査部環太平洋戦略研究センター主任研究員．法政大学非常勤講師，国際協力機構（JICA）社会保障分野課題別支援委員会委員．

著書『新版 アジア経済論』（原洋之介編，NTT出版，2001年）
『タイの制度改革と企業再編』（末廣昭編，アジア総合研究所，2002年）
『日本の東アジア戦略』（渡辺利夫編，東洋経済新報社，2005年）
ほか

老《お》いてゆくアジア
中公新書 *1914*

2007年9月25日初版
2008年2月25日再版

著　者　大泉啓一郎
発行者　早川準一

本文印刷　三晃印刷
カバー印刷　大熊整美堂
製　本　小泉製本

発行所　中央公論新社
〒104-8320
東京都中央区京橋 2-8-7
電話　販売 03-3563-1431
　　　編集 03-3563-3668
URL http://www.chuko.co.jp/

定価はカバーに表示してあります．
落丁本・乱丁本はお手数ですが小社販売部宛にお送りください．送料小社負担にてお取り替えいたします．

©2007 Keiichiro OIZUMI

Published by CHUOKORON-SHINSHA, INC.
Printed in Japan ISBN978-4-12-101914-1 C1236

RC 1886 中公新書

社会・生活

1 1

- 1242 社会学講義　富永健一
- 1600 社会変動の中の福祉国家　富永健一
- 1910 人口学への招待　河野稠果
- 1914 老いてゆくアジア　大泉啓一郎
- 760 社会科学入門　猪口　孝
- 1479 安心社会から信頼社会へ　山岸俊男
- 1911 外国人犯罪者　岩男寿美子
- 1894 私たちはどうつながっているのか　増田直紀
- 1814 社会の喪失　市村弘正・杉田　敦
- 1740 問題解決のための「社会技術」　堀井秀之
- 1537 不平等社会日本　佐藤俊樹
- 1669 暮らしの世相史　加藤秀俊
- 1323 「生活者」とはだれか　天野正子
- 1747 〈快楽消費〉する社会　堀内圭子
- 1414 化粧品のブランド史　水尾順一
- 1401 OLたちの〈レジスタンス〉　小笠原祐子
- 265 県民性　祖父江孝男
- 1090 博覧会の政治学　吉見俊哉
- 1597 〈戦争責任〉とは何か　木佐芳男
- 1164 在日韓国・朝鮮人　福岡安則
- 1269 韓国のイメージ　鄭　大均
- 1439 日本（イルボン）のイメージ　鄭　大均
- 1861 在日の耐えられない軽さ　鄭　大均
- 1640 海外コリアン　朴　三石
- 702 住まい方の思想　渡辺武信
- 895 住まい方の演出　渡辺武信
- 1347 住まい方の実践　渡辺武信
- 1766 住まいのつくり方　渡辺武信
- 1540 快適都市空間をつくる　青木　仁
- 1918 〈はかる〉科学　阪上　孝・後藤　武編著